Jusqu'où allait l'entraîner ce tango?

"Alors, on boudait?" chuchota-t-il contre la tempe de Laurel.

Le coeur de Laurel battait à coups redoublés. Son corps étroitement serré contre celui de Rodrigo la trahissait honteusement.

"Pourquoi m'évitez-vous depuis ce matin?" ajouta-t-il.

Sa voix lui parut moqueuse. Elle frémit. Puis, elle reprit son sang-froid, s'arracha à ses bras et lui lança: "Puisque vous voulez le savoir, oui, je vous évite depuis ce matin! Oui, je suis folle de rage à l'idée d'avoir été trainée dans la boue! Mais enfin, pour qui me prenez-vous?"

Dans Collection Harlequin

Margery Hilton

est aussi l'auteur de

UN MARIAGE DE DERAISON (#6)
JORDAN L'IMPITOYABLE (#11)
MAM'SELLE CRUSOE (#22)
CHER ONCLE NICK (#28)
LA MAISON DES AMULETTES (#61)
APRES LA NUIT REVIENT L'AURORE (#75)
LE SANCTUAIRE DES OISEAUX (#119)

Ces titres sont disponibles chez votre dépositaire.

LE DESTIN VEILLE A VALDEROSA

Margery Hilton

PARIS • MONTREAL • NEW YORK • TORONTO

Publié en juillet 1980

ISBN 0-373-49127-1

Dépôt légal 3e trimestre 1980
Bibliothèque nationale du Québec et Bibliothèque nationale du Canada.

Imprimé au Canada—Printed in Canada

1

Vivement samedi, pensait Laurel Daneway en posant une liasse de documents sur le bureau de Monsieur Searle. Avec un soupir, elle couvrit sa machine et ferma son tiroir à clef.

Il était presque sept heures. Elle aurait dû avoir fini depuis longtemps. Ce vendredi 13 lui portait malheur. Apparemment, le diable s'en était donné à cœur joie aujourd'hui, tout au moins en ce qui concernait « Le Tourisme planétaire ».

L'absence du patron retenu par des ennuis familiaux, la maladie du guide de Rome, l'ouverture du nouvel hôtel de La Reina encore retardée par un conflit ouvrier... Qu'allait-on bien pouvoir proposer d'autre aux trois cents optimistes à tout crin qui s'étaient inscrits pour la semaine d'inauguration ? Et, pour couronner le tout, les mauvaises nouvelles de Saringo. Dans cet eden jusqu'ici épargné, dans ce paradis pour touristes, venait d'éclater la guerre. Il n'y en avait pas eu depuis le déluge ! Comment allait-on récupérer les quarante-cinq personnes du troisième âge subitement isolées là-bas ?

A côté de tout cela, les propres ennuis de Laurel : un bas filé, le bus raté et un week-end compromis, ne pesaient pas lourd. Allons, trêve de récriminations.

Après tout, ce n'était pas la faute de son patron s'il se trouvait justement absent aujourd'hui.

Le sourcil froncé, elle jeta un dernier regard sur le bureau avant de s'en aller. Avait-elle bien fait d'envoyer Jeanne à Rome par le vol de nuit ? De téléphoner à Raymond, à Tanger, pour lui demander de rejoindre à tout prix les malheureux vacanciers de Saringo qui devaient se faire un sang d'encre ?... Il était rare qu'elle eût à prendre des décisions aussi importantes. Mais il l'avait bien fallu.

A peine la porte fermée, le téléphone se mit à sonner. Elle soupira, hésita une seconde, puis ressortit vivement sa clef. Résignée à recevoir l'annonce d'une nouvelle catastrophe, elle fonça dans la pièce. Peut-être Phil avait-il pu se libérer ce soir, après tout ? Ce n'était pas Phil. C'était son patron. Il parut ne pas remarquer la déception évidente de Laurel, et demanda tout à trac :

— Etes-vous libre maintenant ? Pouvez-vous me rejoindre au Scala à huit heures ?

— Euh... oui, dit-elle en fixant machinalement le calendrier suspendu au mur.

— Inutile de repasser chez vous pour vous changer, lui intima-t-il d'une voix nette. Vous êtes toujours tirée à quatre épingles, même après une journée de travail, je le sais.

— Merci, dit-elle avec un certain plaisir, sachant que Gordon Searle ne faisait jamais de compliments en l'air.

— Désolé de vous prendre ainsi à l'improviste. Mais j'ai besoin de votre aide, Laurie. Venez vite. Prenez un taxi. D'accord ?

— Bien sûr, Monsieur.

Elle raccrocha, plutôt éberluée, puis appela un taxi. En attendant celui-ci, elle se refit rapidement une beauté et releva ses longs cheveux dorés en un élégant chignon. Que s'était-il passé ? Son patron avait l'air curieusement ennuyé. Ce n'était pourtant pas son genre, de s'affoler.

Les traits tirés, mais courtois comme toujours, Gordon Searle accueillit Laurel devant le restaurant. Sa femme était-elle retombée malade ? se demandait cette dernière. Sa fille faisait-elle de nouveau la mauvaise tête ? Ou s'agissait-il d'ennuis professionnels ?

Sitôt installés devant un apéritif à une petite table isolée, il entra dans le vif du sujet :

— J'avais pensé attendre lundi. Mais les choses vont mal à la maison, et j'ai dû changer mon fusil d'épaule.

Tout en buvant son porto à petites gorgées, Laurel le regardait d'un air interrogateur. Il poursuivit :

— Vous vous souvenez, je pense, de mon projet d'ouvrir une nouvelle station sur une île : soit à Maraxos, une des îles ioniennes, soit à l'île du Destin, au nord des Canaries. Je viens de recevoir sur Maraxos les premiers éléments demandés. J'avais l'intention d'aller moi-même à l'île du Destin la semaine prochaine pour faire mon enquête.

Le garçon apporta l'entrée. Gordon Searle s'interrompit un instant. Dès qu'ils furent de nouveau seuls, il se mit à décrire avec enthousiasme la future croisière-séjour que sa société serait en mesure d'offrir l'année suivante. Puis il se reprit et dit avec un petit sourire ironique :

— Vous vous demandez sans doute si c'est pour vous dire tout cela que je vous ai fait venir ce soir... Non. Je ne pourrai malheureusement pas aller à l'île du Destin. Je voudrais que vous y alliez à ma place.

— Moi ? fit Laurel avec stupéfaction.

Il inclina la tête.

— Et que vous me fassiez un rapport.

— Mais je ne suis que votre secrétaire ! s'écria-t-elle. Je... je suis incapable de... de...

— Vous vous débrouillerez fort bien, coupa-t-il avec

autorité. Il ne s'agit d'ailleurs que d'une simple reconnaissance. Voyez si les plages sont belles, les baignades sans danger. Bavardez avec les gens du cru pour savoir s'il y a des vices cachés, et ce qu'ils pensent du tourisme. Vérifiez l'approvisionnement en eau. Il ne s'agit pas que tout soit à sec dès le premier rayon de soleil. Mais surtout, gardez l'incognito. Nos concurrents ne doivent pas savoir que nous sommes sur cette piste.

Elle répondit d'un air perplexe :

— Je ne demande qu'à vous être utile, vous le savez bien. Mais j'ai peur de faire des boulettes.

— Mais non, je vous fais confiance. En matière d'hébergement, les ressources sont maigres : un vague hôtel qui prend une demi-douzaine de pensionnaires. Il est tenu par un ménage d'anglais en retraite. Des petits bourgeois bien tranquilles. Le coin n'est pas encore profané. On se croirait au Moyen Age.

Laurel gardait le silence. Comme elle aurait voulu être aussi confiante que Gordon Searle ! Comment une étrangère, une femme par surcroît, serait-elle en mesure de découvrir les caprices des sources de l'île ? Quelle langue y parlait-on ? Espagnol ou portugais ? Quelle importance d'ailleurs... elle ne savait ni l'une ni l'autre.

— J'ai déjà réservé une chambre pour vous, pour un mois, reprit-il avec hésitation. Mais je dois vous avertir qu'il y a deux inconvénients de taille...

Elle eut un petit sourire crispé.

— Dites-moi le pire.

— Je voudrais que vous emmeniez ma fille avec vous.

— Yvonne ! s'exclama Laurel en se représentant mentalement cette fille de seize ans, gâtée et têtue, qui faisait le désespoir de son père. Elle a envie de voir l'île ?

— Absolument pas, hélas ! dit-il avec une grimace. Mais je ne sais plus quoi faire de cette gamine. Ma femme est très fatiguée pour l'instant, et la dernière incartade d'Yvonne lui a porté un coup très dur.

— Je suis désolée, dit Laurel avec une gentilesse qui venait du cœur. Je ferai l'impossible pour vous aider.

— Je le sais, dit-il d'un ton pesant, et je vous en suis infiniment reconnaissant. Voilà. Je... il faut que je vous mette dans la confidence... Je compte sur votre discrétion.

Laurel inclina la tête.

— Yvonne s'est liée avec une bande d'amis peu recommandables... en particulier avec un garçon impossible. Nous avons tout essayé. Elle ne veut rien entendre.

Il eut un profond soupir.

— J'apprends maintenant que ce garçon est compromis dans une affaire de drogue. Il faut à tout prix que j'éloigne Yvonne. Si jamais elle se laissait entraîner...

Il s'interrompit pour porter son verre à ses lèvres. Ses yeux avaient une expression d'angoisse insoutenable.

— Ce matin, reprit-il au bout d'un instant, je l'ai mise devant le choix suivant : ou vous accompagner, soi-disant pour vous aider, ou je lui coupe les vivres jusqu'à la fin de l'année. Elle a cédé. Elle aime son confort, et elle a bien dû sentir qu'il ne s'agissait point de menaces en l'air... que la coupe était pleine. Rien de particulièrement tentant, vous voyez, Laurel ! Est-ce trop vous demander ?

Dix minutes plus tôt, Laurel aurait hésité. Mais Gordon Searle avait réussi à l'émouvoir, et sa générosité naturelle la poussait à voler sans réfléchir au secours de son prochain.

— Bien sûr que non, dit-elle avec élan. Ne vous faites pas de souci, je suis sûre que cela marchera... je veux dire pour Yvonne. Après un mois de vacances, elle verra sans doute ce garçon sous un jour tout différent. Et probablement se rendra-t-elle à vos raisons.

— Que Dieu vous entende ! soupira Gordon Searle. Mais je dois vous avertir honnêtement qu'elle n'est pas facile à manier. Si les choses tournent mal, vous me préviendrez. Il faudra la laisser revenir à la maison. Impossible à l'heure actuelle d'oser espérer se faire obéir des jeunes !

C'était vrai. Laurel le savait bien. Si la petite en avait par-dessus la tête de l'île, il n'y aurait plus qu'à la renvoyer à ses parents désemparés.

— J'aimerais si possible que vous partiez dès le 1er, c'est-à-dire vendredi prochain. Si...

L'exclamation involontaire de Laurel le fit s'interrompre. Il la regarda d'un air anxieux.

— Cela vous ennuie ?

— Non, dit-elle après une imperceptible hésitation.

Elle refusait de penser à ce week-end qu'elle aurait pu passer avec Phil. Elle se rendait ridicule depuis trop longtemps à garder tout son temps libre pour celui-ci, à rester suspendue au téléphone dans l'attente d'une invitation... En pensant à sa propre faiblesse, elle n'avait pas de mal à se mettre dans la peau d'Yvonne...

— Je vous demande pardon, Laurel, dit Gordon Searle. Je suis tellement absorbé par mes propres soucis que j'en arrive à oublier que vous avez votre vie privée. Votre jeune ami va probablement m'en vouloir de vous ôter à lui pendant un bon mois. Je ferais peut-être mieux d'envisager une autre solution.

— Mais non, dit Laurel d'un air décidé. J'irai avec grand plaisir. A propos, continua-t-elle en hâte, je ne vous ai pas raconté la journée d'aujourd'hui...

Quand elle eut passé en revue la série de catastrophes qui s'étaient abattues sur ses frêles épaules, elle conclut :

— Je ne pouvais vous joindre nulle part... j'espère avoir fait ce qu'il fallait.

— Parfaitement, dit Gordon Searle avec un petit

sourire en coin. Envoyer Jeanne à Rome et Raymond à Saringo, je n'aurais pas fait mieux.

— Je craignais que Linda Dale, dont c'était la première mission à Saringo, ne perde complètement les pédales.

Gordon Searle hocha la tête.

— En entendant les nouvelles, j'ai eu la même réaction que vous et j'ai téléphoné à Tanger. Vous m'aviez devancé. Je viens de joindre les autorités à Saringo. Il semble que la révolte soit déjà matée, et que tout soit redevenu calme dans la zone littorale de Lyssan, là où notre petit groupe devait arriver aujourd'hui. J'espère apprendre bientôt qu'ils sont sur le chemin du retour.

Infiniment soulagée, Laurel se mit à siroter son café. Maintenant, ses pensées se tournaient vers la mission qui l'attendait. Se montrerait-elle à la hauteur ? De son rapport dépendrait le bonheur de futurs vacanciers, le succès de sa société. Elle leva soudain les yeux sur son patron qui l'observait gravement.

— Tout à l'heure, Monsieur, vous avez mentionné deux inconvénients...

— Oui. Il s'agit du châtelain de l'endroit, dont la propriété couvre plus des deux tiers de l'île et englobe la plus belle partie de celle-ci. Sa fortune et son influence sont immenses. Il vous faudra sonder l'opinion, tâcher de deviner les réactions possibles de ce monsieur à l'idée que son île puisse devenir un centre touristique. En fait, tout dépend de sa bonne volonté.

— Faudra-t-il que j'aille le voir ?

— Non. Pas cette fois-ci. Ce serait prématuré. Inutile de perdre son temps et le vôtre avant d'avoir pris notre décision.

Laurel hocha pensivement la tête. Jamais on ne lui avait confié une telle mission. Elle commençait à se passionner, et en arrivait presque à oublier la terrible Yvonne et ce mystérieux châtelain.

— Pensez-vous qu'il nous mettra des bâtons dans les roues ? demanda-t-elle sur un ton léger.

Après une brève hésitation, Gordon Searle inclina la tête.

— Vous avez une raison précise de le croire ? ajouta-t-elle.

— Non. C'est mon intuition. Mais elle me trompe rarement.

— Comment s'appelle ce... ce noble espagnol ?

— J'ai oublié. Je l'ai noté quelque part. C'est un de ces noms aristocratiques à rallonges... Attendez...

Il prit son portefeuille dans sa poche, et en sortit un bout de papier.

— Comte Vicente Rodrigo de Renzi y Valdes ! lut-il avec componction.

— Fichtre ! fit Laurel avec les yeux ronds.

— Il pourrait se révéler un problème aussi épineux que ma fille. Enfin, je souhaite qu'il n'en soit rien.

— Moi aussi, souffla Laurel.

Les jours suivants, elle n'eut guère le temps de s'appesantir sur ce qui l'attendait. Elle avait à mettre au courant les deux intérimaires qui la remplaceraient. Et puis, madame Searle venait d'apprendre qu'il lui faudrait entrer dès que possible à l'hôpital pour y subir une légère intervention. Rien de dangereux. Mais c'était un souci de plus pour son patron qui adorait sa petite femme fragile. Malgré cela, ce dernier avait l'œil à tout. Il tint à offrir à Laurel une généreuse somme d'argent pour couvrir les dépenses imprévues entraînées par cette expédition. Elle eut beau protester, il ne voulut rien entendre.

— Il n'est pas question que vous supportiez les frais de vêtements indispensables pour ce séjour.

— Mais vous payez déjà l'hôtel, sans compter mon salaire ! s'écria-t-elle.

— J'exige tout votre temps et je vous impose Yvonne... Si vous voyiez tout ce qu'elle a déjà acheté pour ce voyage ! Il y a là de quoi vêtir la troupe du Lido !

Laurel passa donc une matinée bien agréable, mais agitée, à choisir des maillots de bain et des tenues d'été. Son patron l'ayant avertie qu'on ne trouvait pas grand-chose sur l'île, elle acheta aussi tout ce qu'il fallait pour quelques semaines de vacances, pharmacie, produits de beauté, pellicules de photos...

Le jeudi matin, monsieur Searle arriva au bureau, suivi d'Yvonne, et emmena les deux filles déjeuner. De quatre ans plus jeune qu'elle, Yvonne dépassait Laurel de dix bons centimètres. C'était une très jolie fille au teint chaud, aux longs et épais cheveux noirs. Mais une expression boudeuse déparait la belle bouche aux lèvres pleines. Elle se donnait à peine le mal de dissimuler son ressentiment à l'égard de son père. Elle se détendit cependant au cours du repas et céda au plaisir de détailler ses achats.

— Si vous voyiez la jupe rouge en voile de coton et le petit bustier assorti en macramé que j'ai achetés pour le soir !

Elle eut un geste désinvolte de la tête pour indiquer son père.

— Il dit qu'il n'y a pas de vie nocturne et que l'endroit où nous allons descendre n'a d'hôtel que le nom. Mais cet ensemble était si joli que je n'ai pu résister ! On devine mes jambes à travers.

— Tu te feras éjecter de l'île si tu portes une jupe transparente sans rien dessous, lui dit calmement son père.

Le mépris tordit la bouche vermeille.

— Si le styliste l'avait jugé utile, il y aurait adjoint un jupon. Et puis, si quelqu'un soulève une objection, je quitterai cette maudite île sans attendre d'en être éjectée. Ça doit être un de ces trous ! Vous ne pensez pas, Mademoiselle ?

— Voyons d'abord, dit Laurel en souriant. Nous jugerons ensuite. L'attraction principale est certainement représentée par le soleil. Nous passerons sans doute notre temps en maillot de bain.

Yvonne jeta un coup d'œil par la fenêtre. Depuis le matin le crachin n'avait pas cessé de tomber. Laurel avait raison. Tout valait mieux que ce printemps pourri.

Les deux jeunes filles se séparèrent en assez bons termes. Laurel passa l'après-midi avec son patron à faire l'inventaire des renseignements indispensables à obtenir. Après avoir pris du thé et des sandwiches au bureau, Gordon Searle lui fit ses dernières recommandations et la renvoya chez elle pour faire ses bagages.

A huit heures du soir, elle était épuisée. Elle avait bouclé ses valises, nettoyé l'appartement, payé son loyer, prévenu la gardienne. Il ne lui restait plus qu'à se baigner et à se laver les cheveux. Le départ avait lieu tôt le lendemain. Elle tenait à se réveiller à l'heure et à être prête quand son patron passerait la prendre pour la conduire à l'aéroport.

Elle faisait couler l'eau de son bain quand retentit la sonnette de l'entrée. Avec une exclamation consternée, elle s'enveloppa dans un saut-de-lit et partit entrebâiller la porte. L'homme qui attendait en piaffant entra brusquement avec un sourire plein d'assurance.

— Phil ! s'écria Laurel, partagée entre la joie et la stupeur. Mais je ne...

— Aucune importance, ma chérie. J'attendrai.

Sûr de lui, il avançait et lui tendait les bras.

— D'ailleurs, n'avons-nous pas toujours rendez-vous ?

— Oui, mais...

Consciente à la fois de sa tenue légère et de l'ardeur

inhabituelle de ses baisers, Laurel s'était dégagée de son étreinte avec une certaine vivacité.

— Mais je ne t'attendais pas. Tu m'avais dit au téléphone que tu étais très occupé cette semaine et...

— Je sais, ma chérie.

Depuis que, six mois plus tôt, Phil était entré dans sa vie, elle s'était toujours laissé prendre au charme de la bouche sensuelle, des grands yeux noirs et de la voix cajoleuse.

— J'ai pu heureusement liquider assez vite cette histoire assommante avec Daverley. Et puis, Jack Harving m'a appelé pour me dire que la conférence de demain était ajournée. Il doit aller régler un conflit dans l'une de nos usines. Me voilà donc libre. Je suis à toi jusqu'à lundi matin, mon chou.

Il lui posa sur les lèvres un baiser léger avant de traverser le salon. Il s'arrêta devant le petit bar où elle rangeait ses bouteilles et l'ouvrit avec la plus grande désinvolture. Devant les fioles à moitié vides, il fronça les sourcils :

— Mais, dis-moi, mon amour, nous sommes bien en-dessous de la ligne de flottaison ! Tu n'as pas une réserve cachée quelque part ?

Tout en parlant, il sortait des verres. Etonné par le mutisme de Laurel, il se retourna brusquement.

— Allons, chérie, ne reste pas plantée comme un piquet. Il est plus de neuf heures. Sois gentille. Va te préparer. A moins que... à moins que ceci ne soit une robe d'hôtesse et que tu ne préfères une soirée... au coin du feu. Je n'ai rien contre... tu sais...

— Il n'en est pas question ! dit-elle vivement en resserrant sa ceinture autour de sa taille. Je ne peux pas sortir avec toi, Phil. J'allais me baigner et je viens de me laver les cheveux. Ils sont encore tout mouillés.

— Comment, tu ne peux pas ?

Il reposa les verres et fut près d'elle en deux enjambées.

— Allons, allons, tu m'en veux, je sais…

Les mains posées sur ses épaules, il la regardait dans les yeux.

— Je suis vraiment désolé, mais ce n'est pas de ma faute, je t'assure.

— Tu me dis toujours ça ! Il est trop tard. Je dois me lever très tôt demain, parce que…

— Demain ? Nous n'y sommes pas encore ! Allons, Laurie, dit-il avec un sourire enjôleur, embrasse-moi et va te faire une beauté. Je t'emmène en ville. Où tu veux. Que penserais-tu de…

— Non, dit-elle en s'arrachant à ses bras. Impossible, Phil. Je pars demain.

— Comment, tu pars ? Mais tu ne m'en as jamais parlé ! s'écria-t-il avec un froncement de sourcils.

— Je ne le sais moi-même que depuis quelques jours. Comment aurais-je pu te le dire ? Je ne t'ai pas vu depuis…

Il eut un mouvement d'humeur et serra les lèvres.

— Oui, évidemment… Mais… ce n'était pas prévu. Combien de temps pars-tu ?

— Un mois. Peut-être plus.

— Un mois ! répéta-t-il avec un air consterné. Oh non, Laurie, tu ne peux pas me faire ça. Ce serait une catastrophe !

Devant son expression stupéfaite, il reprit en hâte :

— Ecoute, nous sommes invités le week-end prochain chez Jack Harving, dans sa propriété de campagne. C'est la première fois qu'il me fait cet honneur. Oh, Laurie, il faut que tu reviennes à temps.

Laurel se mordit la lèvre.

— C'est impossible. Tout est organisé. Et puis, je ne connais pas ce monsieur. Pourquoi m'a-t-il invitée ?

— Tu ne comprends pas, dit-il d'un ton presque

désespéré. Pour moi, c'est une chance inouïe. Je risque de rencontrer chez lui des gens importants. Et cela signifie que Jack commence à reconnaître mes mérites. Il m'a demandé d'amener une fille. Naturellement j'ai pensé à toi. Je ne pouvais pas imaginer que...

— Je suis désolée, Phil. Je pars en voyage d'affaires et je me suis engagée. Il m'est impossible de faire faux bond à monsieur Searle. Si tu veux, je peux envoyer un mot de regret à ton patron.

— Mais c'est toi que Jack veut voir. Je lui ai parlé de toi. Tu es tout à fait le genre de fille qu'il aime. Tu t'habilles à ravir, tu es à l'aise avec tout le monde et toujours à ta place. C'est très important à ses yeux. Et maintenant, tu t'en vas... comme cela !

Il était tellement indigné qu'il ne s'aperçut pas de l'étincelle qui venait de s'allumer dans les yeux de Laurel.

— Ecoute, Phil. Je t'ai déjà dit que j'étais désolée. Cela suffit maintenant. Je ne vais pas changer mes projets au dernier moment à cause d'une invitation d'un type que je ne connais ni d'Eve ni d'Adam, même si c'est ton patron. Je ne vois d'ailleurs pas en quoi ma présence faciliterait ta carrière.

— Non ? Eh bien, il est temps que tu le comprennes. Dans une société comme la mienne, une femme à la hauteur est un atout précieux pour un jeune cadre. Il me semblait que tu tenais à moi, dit-il amèrement. Je me suis sans doute trompé.

Laurel le regarda quelques secondes en silence. Sa colère montait. Elle s'efforça néanmoins de répondre posément :

— Oui, je tenais à toi. Je suis même tombée amoureuse de toi la première fois où nous sommes sortis ensemble, si tu veux le savoir. Mais ce n'est sans doute pas ce qui t'intéresse ! Ce que tu veux, n'est-ce pas, c'est une femme susceptible de recevoir l'approbation de ton patron, une femme qui te permette de réussir ta carrière. Eh bien, tu t'es trompé d'adresse !

Avec lenteur, elle traversa la pièce et ouvrit la porte, petite silhouette attendrissante dans le déshabillé bleu qui soulignait sa minceur.

— Je crois que nous nous sommes tout dit, Phil.

Le regard incrédule, il fit un pas vers elle.

— Enfin, Laurie, tu... tu ne penses pas ce que tu dis ?

— Mais si.

— Nous nous aimons, voyons, tu le sais bien. Tu le reconnais toi-même. Et je peux te le prouver, ajouta-t-il en s'approchant d'elle avec une détermination qui en disait long.

— Non, fit-elle d'un ton glacial en reculant.

Elle savait l'attirance physique que Phil exerçait sur elle. Il ne fallait surtout pas le laisser jouer de cet ascendant.

— J'en ai par-dessus le dos d'attendre près du téléphone, d'avaler tes excuses, d'être à ta disposition chaque fois que tu as un petit créneau dans ton emploi du temps. Je ne suis pas un bouche-trou, ni un faire-valoir. C'est fini, et bien fini !

— Tu n'avais pas compris que je travaillais pour nous, pour notre avenir. Dès que j'aurais senti ma carrière assurée, je t'aurais demandé de m'épouser. Tu le regretteras, Laurie...

Elle secoua la tête. Elle voyait maintenant avec une clarté aveuglante que le charme de Phil dissimulait un effroyable égoïsme. L'ambition était une qualité. Mais il n'y avait pas que cela dans la vie. Laurie exigerait plus de celui qu'elle choisirait. En tout cas, elle ne voulait pas être « l'élue », simplement parce qu'elle trouverait grâce aux yeux de Jack Harving.

Elle crut un instant qu'il allait insister. Mais il changea d'avis et haussa les épaules d'un air résigné.

— Je perds mon temps à discuter avec toi, dit-il d'un

ton boudeur. Tu n'es pas d'humeur à m'écouter ce soir. Réfléchis bien. Bonsoir, Laurel.

C'était dire clairement qu'il était prêt à lui pardonner si elle lui faisait des excuses circonstanciées. Le visage impassible, elle se contenta de murmurer un vague bonsoir. Après un dernier regard où se lisait une colère contenue, Phil ferma brutalement la porte derrière lui.

Elle l'écouta dégringoler l'escalier et claquer la porte de l'immeuble. Avec un soupir, elle reprit ses occupations interrompues. Inutile de se complaire dans de stériles regrets. Tout était fini entre eux. A moins qu'elle ne fît le premier pas, Phil ne lui reviendrait jamais. Autant regarder les choses en face.

Ses bonnes résolutions ne l'empêchèrent pas de pleurer longtemps dans l'obscurité, à peine la tête sur l'oreiller. Ah, si Phil n'était pas venu ! Si seulement Jack Harving n'avait pas lancé cette maudite invitation ! Tout aurait encore pu être comme avant !

Cette scène avec Phil l'avait terriblement secouée. Elle lui semblait de mauvais augure pour l'avenir. Laurel se rappelait les mises en garde de Gordon Searle au sujet d'Yvonne et du châtelain de l'île du Destin... Allait-elle être en mesure d'affronter les problèmes qui l'attendaient là-bas ?

Le cœur étreint par un sentiment de solitude et d'angoisse, elle fut longue à s'endormir...

2

— Oh, laissez-moi tranquille ! gémit Yvonne d'un ton exaspéré en se jetant sur la balancelle du jardin.

L'air perplexe, Laurel regardait la mince silhouette vêtue d'un microscopique bikini à fleurs orange. Ça y est, pensa-t-elle in petto, voilà les ennuis qui commencent. Depuis leur arrivée à la pension, sentant venir l'orage, elle s'était efforcée de l'éviter.

— Inutile de perdre votre temps à rester plantée là, dit l'enfant gâtée. Je ne viens pas avec vous.

Laurel se fit violence pour dissimuler son agacement. Après tout, Yvonne avait peut-être abusé du soleil. Ou bien la nourriture ne lui convenait pas.

— Vous n'avez pas l'air dans votre assiette, Yvonne...

— Il y a de quoi ! répliqua la jeune fille en imprimant à la balancelle un violent mouvement de va-et-vient, au risque de heurter Laurel. Je m'embête ! A en mourir ! Nous sommes ici depuis trois jours, et que faisons-nous, sinon marcher, toujours marcher, dans ce coin perdu où il n'y a rien à faire, rien à voir. L'île du Destin ! ajouta-t-elle d'un air dégoûté. Laissez-moi rire ! L'île de la Malédiction, plutôt !

— Pas si fort, dit vivement Laurel. Soyez honnête,

Yvonne, vous saviez avant de venir que c'était un endroit calme et peu fréquenté.

— Pour être calme, c'est calme ! explosa Yvonne. Je dirais même que c'est sinistre ! Un vrai tombeau ! Quant aux touristes... Dans ce bouge, je dois être la seule à ne pas avoir un pied dans la tombe !

— Merci pour moi, dit sèchement Laurel.

— Quand je pense à ce vieux Colonel Carlton, poursuivait Yvonne sur sa lancée, et à sa pauvre femme ! Aussi gâteux l'un que l'autre. Il ne parle que politique, et elle déblatère à longueur de journée sur la jeunesse d'aujourd'hui. Et puis cet affreux M. Binkley qui essaie de me pincer les fesses quand personne ne regarde ! Et ce pot de colle de Mlle Jessops qui passe son temps à se plaindre de la cherté de la vie ! Vous parlez d'une distraction !

— Mlle Jessops est malheureuse. Elle vient de perdre une vieille amie de toujours, et se sent maintenant seule au monde. On peut bien lui tenir un peu compagnie.

— Très peu pour moi, merci. Elle n'a qu'à se trouver une autre amie, aussi racornie et ennuyeuse qu'elle.

Laurel commençait à sentir la moutarde lui monter au nez.

— Ecoutez, dit-elle avec sévérité, n'oubliez pas que je suis ici pour faire un travail précis et que votre père me paye pour ça.

— Personne ne vous empêche de faire votre boulot, dit Yvonne en remettant la balancelle en mouvement. Je vous demande simplement de ne pas m'y mêler.

— Qu'allez-vous faire de votre côté ?

— Oh, ne vous inquiétez pas. Je me baignerai, ou je lirai. Mais en tout cas, il n'est pas question que j'aille vagabonder par monts et par vaux. J'ai attrapé des ampoules hier à vous suivre ainsi.

— Ce ne serait pas arrivé si vous aviez porté d'autres chaussures.

— Je les ai achetées pour ce voyage et je tiens à les mettre.

Laurel poussa un grand soupir. Ah, elle n'avait pas été longue à s'apercevoir de l'impossibilité d'avoir le dernier mot avec une fille aussi entêtée qu'Yvonne. Que faire ? Elle avait sa tâche à exécuter. De toute évidence, Yvonne n'avait aucunement l'intention de l'accompagner dorénavant dans son exploration de l'île. Encore une fois, elle essaya de la convaincre.

— Je trouve amusant de partir à la découverte d'une île inconnue. Reconnaissez que le paysage est splendide.

— Je veux bien... si ça vous amuse... fit Yvonne avec un geste désinvolte de la main. Mais sans moi !

A cet instant apparut Rosita, la jeune femme de chambre. Un panier au bras, elle traversa le jardin dans leur direction.

— Voici votre pique-nique, Mesdemoiselles.

Après avoir tendu le panier à Laurel, elle repartit vers le jardin potager qui s'étendait derrière la longue bâtisse blanche.

Ne sachant que faire, Laurel suivit machinalement du regard l'employée vêtue de noir qui franchissait le portail en fer forgé. Derrière le lacis de volutes compliquées, elle reconnut Renaldo, le jeune serveur aux cheveux noirs, dont les yeux de velours et le sourire enjôleur faisait le bonheur de ces dames... sinon celui de leurs maris ! Le Colonel Carlton le traitait à mi-voix de sale métèque, et M. Binkley s'indignait de voir des Anglais employer du personnel incapable de parler correctement leur langue.

Il y eut un certain remue-ménage... on entendit des petits cris... le silence régna quelques instants, et Rosita surgit à nouveau, rouge et décoiffée, pour disparaître dans la maison. Le portail claqua. Laurel sourit intérieurement et revint à ses moutons.

— Mais... votre déjeuner... fit-elle en indiquant le panier. J'avais dit que nous passerions la journée dehors.

— Et après ! fit Yvonne dans un bâillement. Ne vous inquiétez pas. Je ne me laisserai pas mourir de faim.

— Je m'en doute. Je ferais quand même mieux de prévenir Mme Allen.

— Je m'en chargerai, dit Yvonne. J'ai une langue.

— Bon, dit Laurel, résignée. N'oubliez pas de vous excuser et ne vous baignez pas tout de suite après le déjeuner, vous m'entendez ?

— Promis, juré, fit Yvonne, la main sur le cœur et l'air ironique.

Laurel hésita encore un instant. Pourquoi donc était-elle tellement mal à l'aise ? Après tout, que pouvait-il arriver à Yvonne ? Se noyer ou tomber d'une falaise ? C'était improbable. De toute façon, il n'était pas question de l'emmener avec elle manu militari. Alors, autant ne pas insister.

Elle franchit une petite porte percée dans le haut mur qui encerclait le jardin et aborda l'étroit sentier grimpant à flanc de coteau. La veille, elle avait remarqué à mi-côte un second sentier. Elle décida de le prendre ce jour-là et d'en dessiner le tracé sur la carte qu'elle tentait d'établir. La conduirait-il à l'extrémité de l'île cachée derrière une seconde rangée de collines, ou à ce château inondé de soleil que l'on voyait de partout ? A quoi ressemblait-il de près ? Et de quoi avait l'air son noble propriétaire ? Mais elle n'était pas là pour se livrer à ce genre de spéculation ou pour jouer au détective. Son dossier se remplissait de notes. Elle commençait à penser que son patron avait fait fausse route. Evidemment, comme Yvonne ne cessait de le souligner, cela manquait un peu de distractions. Mais pour des amateurs de vacances simples en plein air, l'îlot était parfait. Le soleil y brillait en permanence, le vent de la mer en tempérait la chaleur. A quelques minutes seulement de la pension de famille, sur la côte est, se trouvait une magnifique plage abritée, alors que sur l'autre versant, les brisants de l'Atlantique rendaient la baignade impossible.

A l'intérieur des terres, il y avait des multitudes de promenades à faire au milieu de bosquets enchanteurs, ou de ravins au fond desquels chuchotaient de clairs ruisseaux. Des collines, on avait une vue magnifique sur les croupes ondulées au-delà desquelles scintillait l'océan. Dans un village pittoresque, des femmes assises sur le seuil de leurs maisons travaillaient à d'exquises broderies. Il y avait des fruits en abondance, et le vin du cru, rouge sombre et généreux, était excellent et bon marché. Le poisson et les fruits de mer étaient délicieux, l'air merveilleusement revigorant et parfumé.

Il restait encore à Laurel à découvrir si les ressources en eau étaient suffisantes et s'il y avait des coins favorables à la construction. Jusqu'ici, elle n'avait guère vu de terrains adéquats. Peut-être à l'autre extrémité de l'île...

Le sentier suivait les courbes molles de la colline. De temps à autre, il émergeait des boqueteaux. Laurel pouvait alors apercevoir au loin les vignes et les citronniers, principales richesses de l'île, qu'elle espérait bien atteindre ce jour-là.

Vers onze heures, elle estima avoir parcouru à peu près la moitié du chemin. Elle se percha sur une roche chauffée par le soleil et s'accorda dix minutes de repos. Après avoir croqué une pomme, elle se remit en route. Il était presque une heure, et le soleil était au zénith lorsqu'elle se trouva devant un embranchement. A droite, le sentier se perdait dans les collines. A gauche, il aboutissait à une petite plage de sable abritée par une falaise rocheuse. Sans hésiter une seconde, elle prit la seconde direction.

La plage était déserte. Laurel s'y installa confortablement sur le sable blond. Adossée à un rocher, elle ouvrit le panier et déballa sur un torchon le pique-nique préparé par Mme Allen. Le calme était absolu. Laurel avait l'impression d'être le seul être vivant à des kilomètres à la ronde. Pas de transistors, pas de ballons, pas de cris d'enfants, pas de chiens. Quel paradis... un refuge idéal pour des amoureux !

Le soleil la rendait somnolente. Elle s'allongea un instant, les yeux fermés, décidée à ne pas traîner trop longtemps. Elle avait encore à faire. Lorsqu'elle se redressa enfin, elle s'aperçut que plus d'une heure s'était écoulée. Il faisait encore très chaud, elle se sentait toute poisseuse, et n'avait aucune envie de poursuivre son chemin. Avec un soupir, elle rangea les restes de sa dînette et contempla l'océan. Comme l'eau était tentante !

Elle ôta ses espadrilles et courut se tremper les pieds. Quelle fraîcheur merveilleuse. Elle barbota un moment avant de remonter vers la plage, regrettant amèrement de n'avoir point emporté de maillot.

Oh ! Et puis, c'était trop tentant, après tout. Allait-elle oser, elle, Laurel, la petite puritaine ? Juste une trempette pour se rafraîchir ? Un coup d'œil autour d'elle. Personne en vue, ni sur le sentier, ni dans cette petite baie enserrée entre deux falaises se terminant par des promontoires s'avançant assez loin dans la mer. Pas trace d'habitation. De là où elle était, on ne voyait que le château. On pouvait espérer que ses habitants n'étaient pas des voyeurs installés derrière leurs jumelles. De toute façon, c'était l'heure sacro-sainte de la sieste. Qui serait assez fou pour être debout au plus chaud de la journée ?

En une seconde, jean, polo, slip et soutien-gorge furent roulés en un petit tas sur le sable. Et Laurel se jeta à l'eau.

C'était divin !

Elle avançait lentement, paresseusement, les yeux mi-clos, fendant l'eau avec un bruit de soie. La trempette prévue devenait insensiblement une longue baignade.

C'était son premier bain en costume d'Eve. Cette liberté toute nouvelle était grisante. A batifoler ainsi comme une gamine, à faire des culbutes, à nager sous l'eau, elle en oublia complètement l'heure.

A la fin, fatiguée, elle se mit à faire la planche sous le ciel d'un bleu profond. Se rappelant soudainement le but de sa promenade, elle jeta un coup d'œil inquiet vers le rivage. Panier et vêtements étaient là où elle les avait laissés, sur la plage toujours déserte. Elle se souvint soudain qu'elle n'avait pas emporté de serviette. Aucune importance. Elle s'épongerait avec des kleenex et essorerait ses cheveux dans un foulard de coton. Avec cette chaleur, elle ne serait pas longue à sécher. Elle repartait vers le rivage quand elle faillit s'évanouir d'émotion. Elle n'était plus seule.

Quelqu'un s'approchait en un crawl puissant. Il ne fallut pas plus de trois secondes à Laurel pour s'apercevoir qu'il s'agissait d'un homme. D'horreur, elle ouvrit involontairement la bouche, but un bouillon et coula. Elle remonta à la surface en haletant et en crachant de l'eau et, saisie de panique, obliqua vers le large.

— Señora ! Señorita !

La voix forte et basse lui fit accélérer le mouvement. D'où ce type avait-il donc surgi ? Elle ne l'avait pas vu arriver. L'observait-il depuis un moment ? Avait-il décidé qu'elle était pour lui le gibier rêvé ? Un coup d'œil rapide derrière elle, son sang ne fit qu'un tour. C'est bien ce qu'elle craignait. Il était à ses trousses !

— Arrêtez, señorita ! Attention !

Pas question ! Elle fendait l'eau comme une folle, priant le ciel que son poursuivant se fatigue avant elle et abandonne. Hélas, un torrent de paroles incompréhensibles résonnait sur l'eau. L'Espagnol avait l'air frais comme un gardon. Il était tout près maintenant. A travers les goutelettes d'écume, Laurel voyait ses bras musclés fendre l'eau avec la régularité d'un métronome. Elle s'arrêta une seconde, hors d'haleine, et lança avec désespoir :

— Allez-vous en, je vous en supplie !

— Miséricorde ! Une anglaise... j'aurais dû m'en douter !

Avec frénésie, elle piqua de nouveau vers le large. Ses membres avaient du mal à lui obéir. Cet homme était-il fou ? Elle avait dû faire des kilomètres. Comment aurait-elle la force de revenir ? L'eau devenait froide et agitée.

Elle s'efforçait de ne pas céder à la panique. Que valait-il mieux ? Mourir d'épuisement ou se faire attraper, nue comme un ver, par cet Espagnol sans doute décidé à... Soudain une douleur fulgurante lui saisit le mollet, irradiant dans tout son corps. Affolée, ne comprenant plus ce qui lui arrivait, elle se mit à faire du sur-place avant de couler avec un cri étranglé. C'était la crampe atroce qui frappe sans prévenir.

Elle remonta à la surface avec de grands moulinets des bras, cherchant désespérément quelque chose à quoi se raccrocher. Les oreilles bourdonnantes et la tête près d'éclater, elle entendait vaguement la voix de tout à l'heure. Des mains la saisirent, puis la repoussèrent. Elle coula une seconde fois. Malheur, mais cet horrible individu allait la noyer !...

— Ne vous débattez pas ! cria la voix. Je n'ai pas envie de vous assommer.

— Au secours ! hurla-t-elle. Je ne...

Elle eut l'impression qu'il s'éloignait.

— Si vous continuez, vous allez nous noyer tous les deux, entendit-elle avant de disparaître à nouveau dans les flots agités. Elle étouffait. Un voile noir passa devant ses yeux. Brusquement, comme par miracle, elle se retrouva en train d'aspirer goulûment l'air. Le soleil l'aveuglait. Au-dessus de sa tête, le ciel n'était qu'une tache bleue sans limite. L'inconnu avait glissé son bras sous son menton et l'entraînait à travers les lames. Elle se sentit soudain molle comme une poupée de son. Toute idée de résistance l'abandonna. Un instinct vital l'avertissait qu'il valait mieux ne plus se débattre...

Son poursuivant de tout à l'heure la remorquait vigoureusement vers le rivage, lui maintenant la tête au-dessus de l'eau pour lui éviter de boire la tasse. Lorsqu'il sentit la terre ferme sous ses pieds, il se mit debout, souleva Laurel dans ses bras, remonta sur la plage et la posa à plat ventre sur un drap de bain bleu foncé, la tête plus bas que les pieds. A peine essoufflé, il se pencha sur elle et se mit en devoir de pratiquer quelques mouvements de respiration artificielle. Mais à peine lui eut-il posé les mains sur le dos qu'elle eut un violent frisson et se recroquevilla, épouvantée, se rendant brutalement compte de la situation.

Il s'assit alors sur ses talons, le visage soudain durci, la regardant tousser et hoqueter.

— Bien, si vous préférez vous débrouiller toute seule...

— Allez-vous en ! réussit-elle à balbutier entre deux nausées.

— Il n'y a vraiment qu'une femme pour vouloir encore discuter avec les poumons pleins d'eau !

Avec un geste de mépris, il rabattit un pan du drap sur le corps nu.

Laurel ne répondit pas. Elle était morte de honte. Jamais elle ne pourrait oublier les pénibles minutes qui suivirent sa demi-noyade. Sous le regard impassible de l'étranger, elle fut malade comme une bête. Lorsqu'elle eut enfin réussi à reprendre son souffle, elle était trop faible pour faire autre chose que rester pelotonnée dans la serviette bleue, à essuyer du dos de la main les larmes qui ruisselaient de ses yeux rougis par le sel.

— Eh bien, on dirait que vous allez mieux.

L'étranger avait parlé sèchement. Il avait peine à cacher sa colère. Laurel opina faiblement du bonnet. Ses cheveux dorés étaient collés en un magma noirâtre et dégoulinaient sur son visage et dans son cou. Elle se sentait au fond d'un abîme et aurait bien voulu être à cent lieues de là.

— Peut-être vous sentez-vous maintenant assez bien pour m'expliquer les raisons de votre folle imprudence ? insista-t-il d'une voix glacée.

— Mon imprudence ? Mais... dit-elle en tournant la tête vers lui... mais c'est vous qui avez commencé ! C'est de votre faute si...

En rencontrant le regard hautain, sa voix se mit à trembler et s'éteignit. Pour la première fois, elle voyait vraiment l'inconnu.

Ce n'était pas le classique latin à l'ossature légère, aux yeux de velours et au charme irrésistible. Cet homme avait la tête orgueilleuse d'un Grand d'Espagne, le regard plein d'arrogance d'un conquistador, le torse musclé d'un athlète. Dans son slip de bain rouge qui faisait ressortir son hâle, il était beau comme un Dieu. Debout, il devait au moins mesurer un mètre quatre-vingts.

— Alors, reprit-il lorsqu'elle l'eut bien dévisagé, vous alliez m'accuser de... de quoi, au fait ?

— J'étais bien tranquille jusqu'au moment où vous vous êtes mis à me suivre et...

— Vous suivre !

Ses yeux sombres lançaient des éclairs.

— Pourquoi n'avez-vous pas voulu écouter mes avertissements ? Nous avons bien failli nous noyer tous les deux par votre faute !

Laurel le fixa d'un air éberlué.

— Quels avertissements ? Comment osez-vous m'accuser, alors que tout le temps vous... vous...

— J'essayais de vous signaler un danger dont vous sembliez parfaitement inconsciente, coupa-t-il d'un ton sévère. Je commence à regretter de m'en être mêlé. Mais oui, insista-t-il en voyant son expression incrédule, je n'invente rien, le danger était bien réel. Et vous étiez en infraction, qui plus est.

— Jusqu'à votre arrivée, il n'y avait absolument aucun danger, rétorqua-t-elle en tremblant de froid.

— Ah bon ? Eh bien, écoutez-moi une minute, voulez-vous. Cette baie vous paraît idyllique, n'est-ce pas ? La mer est bleue et tentante, le sable fin et doré. On peut certainement se baigner ici en toute sécurité... pourvu que l'on ne s'aventure pas près du tourbillon.

Laurel sursauta. L'étranger eut un petit sourire cynique.

— Vous commencez à comprendre, je pense ?

— Il y a un gouffre là-bas ? balbutia-t-elle.

— Oui, un peu avant le promontoire.

— Je ne savais pas, dit Laurel dont le sang s'était glacé dans les veines. Je...

— Pourquoi avoir ignoré délibérément mes avertissements ?

— Je n'avais pas compris. Je... je croyais...

Impossible de lui dire la vérité.

— Vous pensiez peut-être que je vous poursuivais avec de noirs desseins ?

— Mettez-vous à ma place !

Il la regarda d'un air moqueur.

— Je sais bien que les Anglaises se moquent des conventions. Mais je ne m'attendais tout de même pas à en trouver une chez moi dans cette tenue... si l'on peut parler d'une tenue. Je vous demande de montrer désormais un peu plus de décence, tant que vous serez sur l'île au moins. Vous vous croyez donc sur la Riviera ?

— Oh non, Monsieur, dit-elle avec un soupir. Pas du tout. Et si j'avais su...

Il y avait dans sa voix une amertume infinie.

— N'en parlons plus, Miss, dit-il subitement radouci.

Bien, et comment allait-elle lui échapper maintenant ? Allait-il falloir le remercier de l'avoir arrachée à une mort certaine ? Devrait-elle lui accorder le bénéfice du doute ? Elle leva les yeux sur lui.

— Je... je connais à peine votre langue. Je n'ai pas compris ce que vous disiez.

— N'en parlons plus, répéta-t-il.

Sous son regard intense, Laurel se troubla. Un flot de sang colora ses joues pâlies.

— Euh... je tiens quand même à vous remercier de... de m'avoir sauvé la vie.

Il eut un geste comme pour lui imposer le silence.

— Vous vous sentez mieux maintenant ?

Elle fit un signe de tête affirmatif.

— Je... il faut que je m'habille... mes... mes vêtements...

Voyant qu'il ne faisait pas mine de s'éloigner, elle se pelotonna dans le drap de bain et lança avec hargne :

— Il faut vous mettre les points sur les i ?

Avec souplesse, il se releva.

— Je ne suis pas idiot ! railla-t-il. Mais ne trouvez-vous pas que ce soit un peu tard pour vous draper dans votre pudeur ?

Dans sa colère, elle bondit sur ses pieds et lui jeta rageusement :

— Goujat !

Mais elle avait préjugé de ses forces. Terrassée par un vertige brutal, elle chancela et serait tombée s'il ne l'avait rattrapée et serrée contre lui.

De toutes ses forces, elle luttait contre son malaise et

contre l'insidieuse émotion causée par ce contact entre leurs deux corps presque nus.

— Vous êtes encore sous le choc, dit-il d'un ton sec. Asseyez-vous et dites-moi où vous avez laissé vos affaires. Je vais vous les chercher.

Que faire, sinon obéir ? Quelques instants plus tard, il revenait avec le panier et les vêtements.

— Et maintenant, dit-il, je vais me baigner. Rhabillez-vous. Vous pouvez être tranquille. Je ne vous poursuivrai pas de mes assiduités.

Il contempla un instant les traits blêmes et tirés de la jeune fille avant de lui décocher la flèche du Parthe :

— Franchement, le tableau que vous offrez n'a rien d'excitant, croyez-moi. Je n'ai aucune envie de jouer au voyeur.

Avant qu'elle ait eu le temps de réagir à cette insolence calculée, il fit demi-tour et en trois enjambées fut dans l'eau.

Folle de rage, Laurel suivit un instant du regard la tête brune et les bras puissants qui fendaient les vagues. Comment avait-il osé ? Jamais elle n'avait rencontré d'homme aussi arrogant et exaspérant.

Avec des gestes saccadés et nerveux, elle remit ses vêtements et se peigna de son mieux. Petit à petit, sa colère tomba et elle commença de s'attendrir sur elle-même. Elle n'était pas belle à voir, certes, elle s'en doutait bien. Mais, placé dans les mêmes circonstances, ce type n'aurait pas été long à perdre son allure d'archange. Et d'abord, s'il s'était mêlé de ses oignons, rien de tout ceci ne serait arrivé. Elle aurait terminé son petit plongeon rafraîchissant, se serait séchée et rhabillée en toute tranquillité.

Ruminant ses sombres pensées, elle mit ses espadrilles, secoua le drap de bain, le plia soigneusement, et fit disparaître sur le sable les traces de son infortune. Tout était en ordre. Avec un peu de chance, elle aurait disparu avant le retour de l'inconnu.

Un rapide coup d'œil sur l'eau clapotante... Il nageait toujours... Ouf... Laurel s'empara du panier et prit le chemin du retour, anéantie par avance à l'idée des kilomètres à parcourir dans son état de fatigue. Mais tout valait mieux que de rester dans les parages.

Elle n'avait pas fait une dizaine de mètres qu'une voix péremptoire la cloua sur place. L'homme sortait de l'eau et se dirigeait vers elle.

— Où allez-vous, Miss ?

— A l'hôtel, évidemment !

— A la pension Allen ? Croyez-vous que ce soit raisonnable ? Il y a plus de dix kilomètres.

— Et alors ? Que proposez-vous ? Que je campe sur la plage ?

— Mais non ! Nous sommes à dix minutes à pied de chez moi. Vous pourriez y prendre une douche et vous rafraîchir. Allons, venez.

Devant la haute silhouette au regard impérieux, Laurel eut un mouvement de recul.

— Non merci, Monsieur, dit-elle en secouant la tête. Je suis sensible à votre proposition, mais je ne l'accepterai pas.

— Mais pourquoi ? fit-il avec stupéfaction comme si personne jusqu'ici n'avait eu le front de le contredire.

— Je ne veux pas, c'est tout, dit-elle posément en se remettant en route. Au revoir.

— Une minute !

Il la saisit par le poignet et la fit pivoter. Ses yeux étincelaient.

— Pourquoi avez-vous peur de moi ?

— Lâchez-moi. Je n'ai pas peur de vous !

— Alors, pourquoi refuser mon hospitalité ?

Laurel se dégagea d'un mouvement brusque.

— C'est facile à deviner, il me semble ! Vous me

poursuivez d'abord au risque de me faire me noyer, vous m'accusez ensuite d'être en infraction, et pour couronner le tout, vous vous moquez de moi. Et vous voudriez après cela que...

— Vous ne savez plus ce que vous dites, Miss, coupa-t-il. Je veux bien oublier vos accusations gratuites. Mais je maintiens que vous n'êtes pas en état de repartir à la pension...

— Rien au monde ne me fera rester ici une seconde de plus, répliqua Laurel avec emportement. Je n'ai plus qu'un désir, m'éloigner au plus vite de ce coin maudit, oublier cette pénible histoire, et surtout ne jamais vous revoir !

Les yeux brûlants de larmes, elle s'élança dans le sentier à pic. Arrivée à l'ombre des arbres, elle s'arrêta un instant, hors d'haleine, et jeta un coup d'œil par-dessus son épaule.

Il était toujours là. Au moment où elle se retournait, elle le vit pivoter et ramasser sa serviette. La lançant négligemment par-dessus son épaule, il partit à longues enjambées souples dans la direction opposée.

Le cœur battant, l'esprit troublé, Laurel le suivit longtemps du regard...

3

A son retour, Laurel était épuisée. Cette aventure éprouvante lui avait coupé bras et jambes. Plusieurs fois en chemin, elle s'était arrêtée. Elle était à bout de forces et n'aurait pas fait cent mètres de plus.

L'obscurité était tombée. C'est avec soulagement qu'elle avait enfin aperçu les gracieuses lanternes en fer forgé diffusant leur lueur sécurisante. Avec difficulté, Laurel traversa la terrasse déserte pour aller poser le panier à la porte de la cuisine. Elle n'avait plus qu'une envie, se plonger dans un bain chaud pour délasser ses membres endoloris et se coucher le plus tôt possible. Par bonheur, chez les Allen, on ne vivait pas à l'heure espagnole. Le dîner était servi à huit heures.

Elle traversait le vestibule lorsqu'elle s'entendit appeler. C'était Madame Allen. A contrecœur, elle s'arrêta. Mais, au lieu de venir vers elle, la femme du propriétaire lui fit signe d'entrer dans son salon privé.

— Si vous pouvez m'accorder un instant, Miss, fit-elle à voix basse, j'ai quelque chose à vous dire.

— Bien sûr.

Faisant l'impossible pour cacher sa fatigue autant que son inquiétude, Laurel la suivit dans la petite pièce sobrement meublée. Etait-il arrivé quelque chose à Yvonne en son absence ?

— Que se passe-t-il ? Un accident ? demanda-t-elle avec anxiété.

Madame Allen eut un geste de dénégation, mais son expression n'était pas rassurante pour autant.

— Je ne voudrais pas que vous preniez mes paroles en mauvaise part, reprit-elle une fois qu'elles furent toutes deux assises. J'ai pour principe de ne jamais me mêler des affaires de mes pensionnaires... mais cette fois-ci, je suis assez ennuyée, j'avoue...

— Pourquoi donc ? demanda Laurel dont les mains se crispèrent sur les accoudoirs du fauteuil.

Mon Dieu, sa mésaventure avait-elle déjà filtré jusqu'à la pension ? Y avait-il eu plainte ?

— Que... qu'est-il arrivé ? Qu'ai-je fait ? balbutia-t-elle.

— Oh, Miss, il ne s'agit pas de vous ! Si tous nos hôtes étaient aussi agréables que vous, la vie serait belle ! Malheureusement, ce n'est pas le cas. Non, il s'agit de Miss Searle.

Qu'avait bien pu faire cette enfant gâtée ?

— Je sais bien, poursuivit Mme Allen comme en s'excusant, elle est très jeune et n'en fait qu'à sa tête, mais je crois de mon devoir de la mettre en garde.

— Contre quoi ?

— Elle se conduit de façon absolument ridicule avec un des garçons, répondit Mme Allen avec une grimace qui en disait long. Vous êtes-vous rendu compte de... du flirt ébauché avec Renaldo ?

Le visage de Laurel se rembrunit.

— Non... Comment aurais-je pu m'en douter ? Il y a trois jours que nous sommes là, et c'est la première fois aujourd'hui que je la laisse seule...

— Eh bien, elle n'a pas perdu de temps, dit Mme Allen d'un ton sévère. Je les ai surpris dans le jardin. Oh, ne vous inquiétez pas... rien de grave... mais j'ai l'impression qu'ils ont dû passer l'après-midi ensemble à la plage... Un ennui est si vite arrivé... Renaldo est beau garçon. Les jeunes Espagnoles de bonne famille ne s'affichent généralement pas de cette manière. Ah, poursuivit-elle en soupirant, je ne sais pas si je me fais bien comprendre. Le tourisme n'a pas encore envahi l'île. D'ailleurs, le comte s'y opposerait. Nous sommes loin de la mère patrie. On vit encore ici comme au siècle dernier...

Morte de fatigue, Laurel écoutait d'une oreille distraite.

— L'île du Destin est une possession espagnole depuis près de quatre cents ans, mais le vrai souverain en est le comte... Il habite le château qui domine l'île. Il n'autorise le progrès qu'au compte-gouttes. Nous avons un petit hôpital ultra-moderne, une école neuve. La pauvreté est inconnue chez nous... Mais pour le reste...

Mme Allen eut un haussement d'épaules éloquent. Laurel opinait du bonnet en pensant à autre chose.

— C'est la raison pour laquelle je vous demande de parler à Miss Searle. Essayez de lui faire comprendre que les gens du pays risquent de considérer sa conduite comme licencieuse. Pour eux, une fille se déprécie à flirter ainsi. Les garçons, eux, ne s'en plaignent pas, bien au contraire, surtout ceux comme Renaldo qui ont fait des saisons sur la Costa Brava et en sont revenus en se vantant de leurs succès féminins. Nous ne voulons pas de cela ici. L'affaire Lang nous a suffi...

Laurel retint un soupir. De toute évidence, la brave femme était choquée. Par politesse plus que par curiosité, elle répéta :

— L'affaire Lang ?

— Les Lang étaient venus passer ici quelques mois avec leur fille unique qu'ils avaient eue tard et avaient élevée de façon très stricte. Mme Lang relevait de maladie. La petite n'avait jamais rencontré de garçon comme Renaldo. Très vite, elle en tomba amoureuse.

Monsieur Lang avait passé une semaine avec sa femme et sa fille pour les installer avant de repartir à Londres. Mais, lorsqu'il revint les chercher à la date prévue, c'était trop tard pour la pauvre Sara !

— Comment, trop tard ?

— Elle était enceinte.

— V... vous voulez dire que c'est arrivé ici ?

— Oui. Renaldo a reconnu sa responsabilité. Sara s'était jetée à son cou, disait-il. Pauvre petite, ce n'était pourtant pas son genre. Il a bien proposé de l'épouser, mais M. Lang n'a rien voulu entendre. Il n'allait pas laisser sa fille unique faire un mariage forcé à seize ans à peine. L'affaire ne se serait peut-être pas ébruitée sans la présence d'une infirmière en retraite à la langue acérée. Il ne lui avait pas fallu longtemps pour soupçonner la cause de la pâleur et des malaises matinaux de Sara. Je n'oublierai jamais le jour où elle a lancé tout à trac : « Mais cette fille est enceinte ! » L'histoire se répandit alors comme une traînée de poudre. Quel choc pour les parents qui ne se doutaient de rien ! En hâte, M. Lang rembarqua tout son monde. Nous n'avons jamais eu de leurs nouvelles. Je me demande parfois ce que cette petite est devenue... Quoi qu'il en soit, le comte était furieux...

Après cette tirade, Mme Allen s'arrêta enfin, hors d'haleine. Laurel réfléchissait. Il était bien compréhensible que la brave femme se fît du mauvais sang pour Yvonne qui folâtrait avec le Casanova de l'île. Dire que Gordon Searle avait cru éloigner sa fille du danger ! Allait-on tomber de Charybde en Scylla ?

— Je vous remercie de m'avoir avertie, dit-elle en se levant. Je vais en parler à Yvonne.

En son for intérieur, elle se disait que cela ne servirait pas à grand-chose. D'ailleurs, Yvonne n'était pas une oie blanche comme la malheureuse Sara Lang.

— Avez-vous passé une bonne journée ? demanda Mme Allen en changeant délibérément de sujet.

Après avoir fait la réponse qu'on attendait d'elle, Laurel put enfin s'échapper. Elle n'aurait plus le temps de prendre un bain maintenant. Il lui faudrait se contenter d'une douche rapide. Lasse à mourir, mais décidée à mettre les choses au point sans tarder, elle partit à la recherche de sa protégée.

Mais celle-ci était introuvable. Laurel fouilla le jardin. En vain. Par la porte de la salle à manger, elle aperçut Renaldo mettant le couvert. Un peu rassurée, elle monta se changer.

Elle fut quelque peu surprise par la mine défaite d'Yvonne, lorsque celle-ci la rejoignit à la salle à manger. Elle toucha à peine au curry de volaille, laissa la moitié de son sorbet au citron et repoussa sa tasse de café.

— Qu'y a-t-il, Yvonne ? demanda finalement Laurel en se penchant vers la jeune fille qui, le menton dans les mains, regardait dans le vague. Vous n'avez rien mangé.

— Je n'ai pas faim.

— Ça ne va pas ?

Yvonne se redressa avec agacement.

— Non ! Si vous voulez tout savoir, je suis indisposée, et j'ai horriblement mal à la tête. Je vous laisse. Je monte me coucher.

Au risque de renverser sa tasse, elle se leva brusquement et sortit de la pièce comme une tornade. Quelques têtes se retournèrent. La femme du Colonel prit un air pincé.

Son café terminé, Laurel se leva aussitôt. Ce soir, elle n'irait pas retrouver les autres pensionnaires qui prenaient habituellement le frais sur la terrasse. Elle monta directement dans la grande chambre qu'elle partageait avec Yvonne, dans l'intention de lui proposer de l'aspirine ou une tisane.

Elle entra sur la pointe des pieds. A l'exception de la lampe de chevet, la pièce était dans l'obscurité. Laurel s'approcha doucement du lit et se pencha sur la forme recroquevillée en chien de fusil.

— Voulez-vous quelque chose? demanda-t-elle à voix basse.

Pas de réponse. Le visage d'Yvonne était enfoui dans l'oreiller. Sa respiration était régulière. Elle dormait profondément.

Laurel se redressa. Voyant à sa montre qu'il était à peine neuf heures, elle hésita. C'était vraiment tôt pour se coucher, mais elle était très fatiguée malgré le réconfort procuré par la douche et le dîner.

Elle se dirigea vers la porte-fenêtre et sortit sur le balcon dont la balustrade en fer forgé croûlait sous le géranium-lierre. De jour, on avait de là une vue superbe sur l'océan. Ce soir, sous la pâle lueur d'un mince croissant de lune, tout prenait un air fantomatique. Les lanternes du jardin répandaient une lumière diffuse sur les massifs, les statues et les amphores disséminés sur les pelouses. Des papillons venaient se jeter contre leurs parois aveuglantes. Seul le chant des cigales brisait le silence nocturne.

Devant ce cadre romantique, Laurel se prit à rêver... que Phil était là, près d'elle... qu'elle s'était trompée sur son compte... qu'il l'aimait vraiment... Cette nuit désastreuse était effacée. Ils avaient fait la paix. Tout était comme avant...

Elle ferma les yeux en pensant à lui. Mais ce ne fut pas le visage de Phil qui vint se fixer sur sa rétine... Avec une sorte de colère, elle rentra dans la chambre. Cela ne suffisait pas que cet étranger l'ait surprise tout à l'heure dans le plus simple appareil, ait mis sa vie en danger. Il fallait encore qu'il envahisse ses pensées... S'efforçant de chasser son image, Laurel se déshabilla, se brossa les dents, remonta sa montre et rangea les affaires d'Yvonne éparpillées sur le tapis, avant de se glisser avec délices entre les draps frais. Mais le sommeil fut bien long à venir. Comme une bobine folle, le film des événements de la journée continuait à se dérouler. Elle revoyait le soleil brûlant, l'eau miroitante, cet étranger arrogant et autoritaire aux cheveux noirs, à la voix profonde. L'action combinée du sel et du soleil, le souvenir des bras de l'inconnu, l'humiliation ressentie, la faisaient brûler d'un feu étrange...

Après s'être longuement tournée et retournée, elle s'endormit enfin, d'un sommeil agité et n'entendit pas les bruits furtifs venant de l'autre bout de la pièce.

Tout en jetant des coups d'œil inquiets sur sa compagne endormie, Yvonne avait rejeté ses couvertures et s'habillait fébrilement. Le visage tendu, elle n'arrêtait pas de regarder sa petite montre-bijou. Elle saisit enfin ses sandalettes par la bride et sur la pointe des pieds se dirigea vers la porte. Mais une boucle se défit, et une des chaussures tomba avec fracas sur le parquet.

Dérangée dans son sommeil, Laurel se retourna en bredouillant des paroles incompréhensibles. Avec un juron étouffé, Yvonne se glissa hors de la pièce.

Tout à fait réveillée maintenant par le déclic du pêne, Laurel se redressa et alluma sa lampe. Ses yeux papillotèrent une seconde avant de se fixer sur le lit béant. Avec un cri d'angoisse, elle bondit et se rua à la porte.

Apercevant Yvonne au sommet des marches, elle se hâta vers elle.

— Qu'avez-vous ? Vous êtes malade ?

— Mais non. Allez vous recoucher !

— Où allez-vous ?

— Plus bas ! siffla Yvonne, furieuse. Vous allez réveiller tout le monde. Je descends seulement.

— Mais pourquoi donc ? fit Laurel, éberluée. Pourquoi ne pas m'avoir réveillée ? J'aurais été vous chercher ce dont...

Voyant Yvonne se mettre à descendre pieds nus l'escalier de chêne ciré, elle la suivit en chuchotant :

— Pourquoi vous êtes-vous habillée ?

— Parce que je sors. Et n'essayez pas de m'en empêcher ! Compris ?

— Je veux des explications, dit Laurel qui s'empara brusquement du poignet d'Yvonne. Que se passe-t-il ?

— Rien, fit Yvonne d'un ton buté en essayant de se dégager.

A ce moment-là, une porte s'ouvrit sur le palier, laissant apparaître une silhouette corpulente.

— Il y a le feu ? s'enquit M. Binkley. Tiens, tiens... mais ce sont nos jeunes amies ! ajouta-t-il avec malice. S'agirait-il d'un rendez-vous galant ?

— Oh, zut ! grogna Yvonne.

Elle fit demi-tour, fila devant le vieux monsieur stupéfait et rentra dans sa chambre en claquant la porte. Après une brève hésitation, Laurel la suivit, rougissant jusqu'aux cheveux dans sa nuisette transparente, sous le regard inquisiteur de M. Binkley... Décidément, ce n'était pas son jour !

Yvonne s'était jetée sur son lit et sanglotait bruyamment.

— Allez-vous m'expliquer la raison de ce cirque ? fit Laurel avec sécheresse.

— C'est de votre faute, gémit Yvonne, le visage dans l'oreiller. Vous avez tout fait rater. Oh, allez-vous-en ! Je vous déteste !

— Que diable voulez-vous dire ? fit Laurel qui commençait à perdre patience. Tout à l'heure, vous m'avez affirmé que vous étiez fatiguée. Maintenant, vous filez à l'anglaise... Je veux savoir pourquoi.

Pas de réponse. Laurel s'approcha du lit.

— Vous m'entendez ? Où alliez-vous ?

— J'avais un rendez-vous, si vous voulez tout savoir.

— Un rendez-vous ? A cette heure-ci ?

— Et maintenant, c'est trop tard ! Je ne pourrai jamais la récupérer. Oh ! Que vais-je faire ?

Yvonne s'effondra, en proie à une nouvelle crise de larmes. Perplexe, Laurel se pencha sur le corps secoué de sanglots.

— Que veut dire cette histoire abracadabrante ? Allez-vous m'expliquer ?

— C'est ma bague.

— Quelle bague ?

— Mon rubis, fit Yvonne en reniflant. Il a coûté les yeux de la tête. Papa me l'a donné pour mon anniversaire. Il va être furieux.

— Vous l'avez perdu ?

— Oui. Aujourd'hui.

Laurel prit un air soucieux. Elle se souvenait parfaitement de cet anneau d'or représentant un serpent dont l'œil était en rubis. Elle l'avait remarqué la veille du départ quand Gordon Searle l'avait emmenée au restaurant avec sa fille. Quelle idée avait eue Yvonne d'emporter en vacances un bijou d'une telle valeur ?

— Quand l'avez-vous vue pour la dernière fois ? reprit-elle.

— Je ne me souviens pas bien… murmura Yvonne, le nez toujours dans l'oreiller.

— Vous l'aviez aujourd'hui ?

Yvonne poussa un grognement étouffé qui pouvait passer pour un acquiescement.

— Où êtes-vous allée pendant mon absence ? insista Laurel.

— Euh… je ne sais pas… à la plage…

Soudain elle se redressa et s'écria sans oser regarder Laurel en face :

— Oh, et puis après, qu'est-ce que cela peut faire ? Je dirai que je l'ai perdue, c'est tout !

Mais Laurel n'était pas dupe.

— Vous me racontez des salades, lança-t-elle d'un

ton sec. Si vous ne retrouvez pas cette bague, je serai obligée d'en informer Mme Allen, vous savez. Elle devra faire une déclaration à la gendarmerie.

— Oh non ! s'écria Yvonne avec une angoisse insoutenable dans ses yeux noisette. Non, je vous en supplie, ne dites rien !

Voyant son expression de frayeur, Laurel s'assit sur le lit et posa une main rassurante sur le bras de la jeune fille.

— Allons, racontez-moi tout, fit-elle avec douceur.

— A condition que vous me promettiez le secret.

C'était l'impasse. Laurel soupira.

— Je ne veux que votre bien, Yvonne.

— Eh bien, alors, laissez-moi sortir d'ici. Si vous faites des histoires, vous allez réveiller tous ces vieux croulants.

— Ecoutez, Yvonne, je ne suis pas née de la dernière pluie. Vous ne me ferez pas croire que vous avez perdu cette bague. Avec qui aviez-vous rendez-vous ?

— Avec Renaldo, finit par dire Yvonne. C'est lui qui l'a.

— Comment se fait-il que...

— Nous étions sur la plage cet après-midi à flâner. J'avais oublié que j'avais ma bague. Il l'a remarquée et m'a dit que je risquais de la perdre dans l'eau. J'allais rentrer à la pension pour la mettre en sûreté quand il m'a proposé de l'accrocher à sa chaîne de cou.

Laurel hocha la tête.

— J'ai accepté, poursuivit Yvonne, mais lorsque je la lui ai réclamée après notre baignade, il m'a dit de venir la prendre moi-même. C'est alors que... qu'il m'a empoignée et s'est mis à m'embrasser et... et...

Petit chantage vieux comme le monde, pensa Laurel tout en répliquant :

— Et il a refusé de vous la rendre, bien sûr ?

— Oui. Il m'a promis de le faire ce soir à minuit, dans la petite baie derrière le village.

— Pauvre gourde ! Et vous l'avez cru ? Vous ne voyez pas qu'il se moque de vous ?

— Oh, faites-moi confiance ! Je sais parfaitement comment manœuvrer ce genre de type.

— On ne peut pas dire que vous l'ayez prouvé jusqu'ici ! Allons, Yvonne, cessez de faire l'enfant. Renaldo n'est qu'un coureur qui se vante de ses bonnes fortunes. Mme Allen vient justement de m'en parler.

— Mais il ne m'a rien caché, assura Yvonne. Est-ce sa faute à lui si les femmes se jettent à son cou ? Son métier veut qu'il soit aux petits soins pour elles. Mais cela ne va pas plus loin. Vous n'allez pas le traiter de vulgaire séducteur, tout de même !

— Vous savez très bien que vous allez au-devant des pires déconvenues, Yvonne, dit Laurel en se levant. C'est moi qui irai récupérer cette bague.

— Vous !

— Oui, répondit Laurel qui s'habillait en hâte. J'ai promis à votre père de veiller sur vous et je le ferai. Allons, recouchez-vous et dormez, ou je me fâche.

Yvonne céda sans plus discuter. Quelques instants plus tard, Laurel se glissait comme une ombre hors de la pension. Tout en dégringolant rapidement le petit chemin tortueux menant au village, elle se prit à désirer que l'île fût un peu plus habitée. Derrière les fenêtres ouvrant sur les balcons en fer forgé, elle voyait des lumières, elle entendait des bruits de voix, des cris d'enfants, le vacarme de la radio. Seule dehors, elle était en proie à une frousse intense. Elle retint un cri de frayeur en sentant un chat se frotter à ses jambes nues avant de disparaître dans une cour.

Une fois le village traversé, elle se retrouva en pleine campagne. Un sentier escarpé descendait vers la petite baie qui se trouvait être le lieu du rendez-vous. Avec des frissons d'angoisse, Laurel s'enfonçait dans la nuit. Que se passerait-il si Renaldo refusait de rendre la bague? Elle n'était pas de force à la lui arracher. Peut-être même n'était-il pas au rendez-vous, son intention étant sans doute tout simplement de faire marcher Yvonne.

Impossible de reculer maintenant, se disait Laurel. Elle avançait d'un pas précautionneux au milieu des ombres mystérieuses projetées par le feuillage des arbres. En arrivant sur le sable encore tiède, elle regarda autour d'elle et tendit l'oreille. Le silence était presque absolu. Les oiseaux devaient dormir. Les vaguelettes venaient mourir sur le rivage dans un faible clapotis. La plage semblait déserte. Maîtrisant de son mieux sa panique, Laurel fit quelques pas avant de s'immobiliser. Renaldo avait-il posé un lapin à Yvonne? Décidément, on pouvait dire que les deux jeunes filles avaient eu aujourd'hui leur part de désagréments avec les Don Juan de l'île!... et qu'elles l'avaient bien cherché...

— Senõrita!

Laurel retint un cri de frayeur et pivota pour chercher d'où venait la voix. Pendant quelques secondes, elle ne vit personne. Puis une ombre se détacha du pied de la falaise, et elle perçut un petit rire. Un rayon de lune fit étinceler des dents blanches.

— Vous voilà enfin! Je commençais à croire que j'allais être déçu.

— Mais vous allez l'être, monsieur, soyez-en certain, dit froidement Laurel dont le visage était resté dans l'ombre jusque-là.

Le sourire mourut sur les lèvres de l'homme qui sursauta au son de cette voix inconnue.

— Je ne comprends pas. Que faites-vous ici? Où est Miss Searle?

— A l'hôtel.

— Pourquoi n'est-elle pas au rendez-vous? demanda-t-il avec brusquerie en s'approchant.

— Ce n'est pas votre affaire. Où est sa bague ?

— Quelle bague ? fit-il avec un faux air naïf.

— Vous le savez parfaitement, rétorqua Laurel en réprimant le tremblement de ses mains. La bague de Miss Searle, celle qu'elle vous a confiée cet après-midi... D'ailleurs, je la vois qui brille à votre doigt...

Délibérément, il mit la main derrière le dos.

— Elle n'est pas à vous, Miss. Je ne la rendrai qu'à sa propriétaire.

— D'abord, vous n'aviez pas le droit de la garder ainsi !

— Des menaces, maintenant ?

— Pas encore, répliqua Laurel sans se laisser démonter. Je vous demande simplement de me rendre le bijou de mon amie.

— Vous pourriez me le demander plus gentiment. Après tout, il s'agit d'une simple plaisanterie...

— Mon sens de l'humour ne va pas jusque-là, fit Laurel en se contenant avec peine. Il est tard, et je suis fatiguée. Maintenant, donnez-moi cet anneau et qu'on n'en parle plus !

— Oh là, pas si vite ! fit-il en la dévisageant de la tête aux pieds. N'oubliez pas que vous m'avez causé un grave préjudice.

— Allons, ne soyez pas ridicule !

— Mais si, insista l'autre en s'approchant. Vous m'avez privé d'un tête-à-tête dont je me réjouissais à l'avance... Elle m'a longuement parlé de vous, la charmante Yvonne... Je sais que son père vous l'a confiée, que vous la tenez en laisse...

Sale gosse, se dit Laurel. Elle sait se faire plaindre ! Malgré son désir de remettre les choses au point, elle se contenta de répondre froidement :

— Je n'ai pas l'intention de poursuivre cette discussion. Allez-vous me rendre cette bague ? Ou faudra-t-il que je fasse appel à la gendarmerie ?

— Non mais, ricana-t-il, vous me menacez, on dirait !

D'un geste brusque et inattendu, il la saisit aux épaules.

— Ou peut-être cette intervention cache-t-elle un motif inavoué ?

— Quel motif y aurait-il ? fit Laurel avec un mouvement de recul.

Les mains de Renaldo se crispèrent sur les épaules de la jeune fille. Un sourire déplaisant errait sur ses lèvres.

— La jalousie, tout simplement, insinua-t-il d'une voix doucereuse.

— Et puis quoi encore ! Quelle fatuité ! bégaya Laurel avec indignation. Vous ne manquez pas d'imagination ni de toupet ! Lâchez-moi !

— Pas question ! On dit toujours cela... au début... Dites-moi, votre amie a-t-elle peur de moi ? Vous a-t-elle envoyée pour payer le gage à sa place ?

— Le gage ! Quel gage ? Mais vous divaguez ! Lâchez-moi ou je crie !

— Personne ne vous entendra, pauvre sotte !

Avec un rire de triomphe, il l'attira tout contre lui et essaya de s'emparer de ses lèvres. Elle se défendait désespérément, mais cela ne faisait que l'exciter un peu plus. Elle se rendit vite compte que malgré sa taille moyenne et son ossature frêle, l'homme avait des muscles d'acier... et il savait ce qu'il voulait. La panique l'envahit quand il réussit à lui immobiliser un bras derrière le dos.

— On ne me trompe pas comme ça, dit-il en la serrant à la gorge. Je sais bien ce que tu veux ! Toutes les mêmes !

Il rit de nouveau avant d'écraser ses lèvres avec avidité sur la bouche de Laurel. Dans la lutte, les boutons de la chemisette de la jeune fille sautèrent. Elle poussa un cri de rage en sentant la main de Renaldo lui caresser les seins. Elle se débattit avec plus de vigueur encore et lui envoya ses pieds dans les tibias.

— Espèce de teigne, tu me le revaudras ! siffla l'homme entre ses dents.

Il réussit à faire basculer sur le sable la jeune fille terrorisée et secouée de sanglots. Mon Dieu, elle était dans de beaux draps ! Comment allait-elle pouvoir échapper à ce fou furieux apparemment bien décidé à la violer ? La respiration haletante, elle luttait de toutes ses forces contre la brute déchaînée. Ses oreilles bourdonnaient. Dans un ultime effort, elle réussit à libérer son bras, à frapper au hasard tout en hurlant : « Au secours, au secours. »

Tout à coup une ombre se projeta sur les silhouettes confondues en un furieux corps-à-corps. Il y eut un grognement, une courte lutte, un bruit de chute. Laurel se retrouva libre. Des mains l'empoignèrent aux épaules pour l'aider à se redresser et une voix rassurante demanda :

— Vous n'êtes pas blessée, Miss ?

Sauvée ! Elle était sauvée ! Elle voyait de nouveau le ciel criblé d'étoiles sur lequel se détachait maintenant la silhouette d'un immense étalon piaffant à quelques centimètres de sa tête. Quelle était cette voix qui lui semblait vaguement familière ? Mais... n'était-ce pas l'inconnnu de la plage ?

Elle se passa la main sur le front pour en repousser les mèches en désordre. Les battements de son cœur se calmaient lentement. Elle comprenait encore à peine ce qui s'était passé. Mais en voyant Renaldo se relever pour s'enfuir, elle voulut se jeter à sa poursuite et hurla :

— Arrêtez-le ! Il a ma bague !

Mais ses jambes la trahirent. Elle retomba lourdement sur le sable. Pendant ce temps-là, en deux enjambées, son sauveur avait rattrapé Renaldo.

— Alors, petite ordure? demanda l'étranger. Non content d'attaquer les demoiselles, vous les dévalisez à présent ?

Après une discussion orageuse en espagnol, Renaldo disparut dans l'ombre du sentier et l'étranger revint vers Laurel, en tenant la main ouverte devant lui.

— C'est votre bien ?

Encore trop groggy pour prendre la bague scintillante au creux de sa paume, Laurel se contenta d'un signe de tête affirmatif.

— C'est bien la bague de mon amie.

— Vous êtes certaine que cet individu ne vous a pas fait de mal ?

Rouge de honte, Laurel se mit à bégayer :

— Ça... ça va... merci... mais si vous n'étiez pas arrivé...

Ce disant, elle s'efforçait de se relever, de rajuster ses vêtements. Mais ses mains ne lui obéissaient plus. Elle se mit à trembler comme une feuille sans pouvoir retenir ses larmes.

Après l'avoir observée quelques secondes, l'inconnu se pencha brusquement et la prit dans ses bras comme un tout petit enfant.

— J'ai l'impression que vous allez encore tourner de l'œil. C'est une habitude, ou quoi ?

Incapable de formuler une réponse cohérente, Laurel secoua la tête avec lassitude.

— Si je vous mets en selle, serez-vous capable de vous tenir, le temps que je monte à mon tour ?

Elle murmura un oui étranglé. Il la hissa sur sa monture. Avec l'impression vertigineuse que le monde basculait autour d'elle, elle se cramponna à l'encolure luisante de l'animal. Deux secondes plus tard, son sauveur était en croupe derrière elle et la tenait solidement par la taille.

— Appuyez-vous contre moi, fit la voix grave. Détendez-vous.

— Je... c'est très aimable à vous, monsieur, mais ce n'est pas la peine de me raccompagner. Je pourrais très bien...

— Dans votre état, allons donc ! Vous ne feriez pas cinquante mètres !

L'immense cheval noir se mit à encenser. Instinctivement, Laurel se raidit.

— J'ai dit : détendez-vous ! ordonna-t-il avec douceur. Je vous tiens. Aucun danger de tomber.

Il éperonna doucement l'animal qui partit au pas le long du rivage, sans paraître affecté le moins du monde par sa double charge. Petit à petit, Laurel se calma, et se laissa aller contre la solide poitrine de l'inconnu avec une impression incroyable de sécurité. Mais en s'apercevant un peu plus tard qu'ils n'avaient pas pris le chemin du village, elle eut un brusque mouvement de frayeur.

— N'ayez pas peur, Miss, dit l'inconnu en resserrant son étreinte. Je vous emmène chez moi. Vous n'êtes pas en état de vous présenter à la pension.

— Mais je...

— Laissez-moi faire, c'est préférable. Avec moi, vous ne courez aucun danger. Mon personnel et moi-même sommes des gens parfaitement civilisés. On ne pourrait pas en dire autant de ce jeune coq de village.

— C'est très gentil à vous, Monsieur, et je vous en sais gré. Mais il est plus de minuit...

— Et après ?

Que répondre à cela ? Après tout, s'il ne s'était pas trouvé sur la plage à cette heure avancée de la nuit, Dieu seul sait ce qui aurait pu se passer ! Elle préférait ne pas y penser !

Alors, pourquoi discuter ? Pourquoi se poser des

questions ? Le lent balancement du cheval l'engourdissait peu à peu. Dans ce petit coin du globe perdu, elle avait l'impression d'être absolument seule avec cet homme silencieux dont elle sentait contre son dos la chaleur rassurante et troublante à la fois. Rien n'avait plus d'importance. Le cauchemar s'éloignait.

A quelques centaines de mètres, la plage s'incurvait et butait contre un promotoire. Ils prirent alors un sentier assez raide entouré d'arbustes rabougris. Peu à peu, la végétation se fit plus dense. Le sentier s'élargit, devint une avenue. Dans l'air tiède, des fleurs invisibles exhalaient leurs parfums subtils. Des insectes nocturnes les frôlaient de leurs ailes. Un hululement, suivi d'une fuite éperdue, fit sursauter Laurel qui revint enfin sur terre.

Les yeux grands ouverts maintenant, elle aperçut une grille ouvragée se détachant sur le ciel bleu foncé comme une dentelle infiniment précieuse, puis une silhouette massive ornée de tours, qu'elle reconnut avec stupeur. Elle eut une exclamation involontaire. Comment n'avait-elle pas deviné plus tôt ?

Ils venaient d'arriver au château. Cet inconnu, qui avait sauté à terre et lui tendait les bras, ne pouvait être que... le fameux comte !

4

— Soyez la bienvenue à Valderosa ! dit le comte d'un ton moqueur en la précédant sous la voûte de pierre qui conduisait au château.

Ils pénétrèrent dans un immense vestibule aux lambris de chêne, tapissé de tableaux noircis par l'âge, dans leurs cadres de bois doré. Une magnifique tapisserie de haute lice couvrait tout un pan de mur. Il y avait une profusion de belles commodes sculptées, de fauteuils à hauts dossiers, de vitrines remplies de porcelaines, d'argenterie et d'objets d'art propres à réjouir le cœur de n'importe quel connaisseur. Au-dessus de leurs têtes, dans la pénombre, luisait doucement un magnifique plafond à caissons. Des appliques dorées jetaient une lumière irréelle sur toute cette splendeur.

Encore sous le coup de sa découverte, Laurel se tourna lentement et sursauta en rencontrant le regard inexpressif d'un inconnu. Un serviteur vêtu de noir venait de surgir silencieusement d'une porte latérale dissimulée par une tenture et s'inclinait devant le comte.

Celui-ci donna quelques brèves instructions avant de dire à Laurel :

— Suivez José. Je vous rejoins dans un instant.

Sans doute désirait-il conduire son cheval à l'écurie. Partagée entre son indignation de voir le personnel encore debout à cette heure tardive, et sa reconnaissance pour l'hospitalité accordée à une inconnue, elle suivit le serviteur le long d'un interminable corridor.

— Voici le salon, fit José en ouvrant une lourde porte sculptée à double battant.

— Et là, vous trouverez un cabinet de toilette, ajouta-t-il en indiquant une autre porte.

José disparu, Laurel partit se refaire une beauté. Le cabinet de toilette était ultra-confortable avec son carrelage bleu turquoise assorti au lavabo, à la douche et aux épaisses serviettes éponge. Elle se baigna longuement le visage dans l'eau fraîche, brossa soigneusement ses vêtements couverts de sable et remit de l'ordre dans sa tenue.

Une fois recoiffée et rafraîchie, elle retourna au salon. C'était une pièce de dimensions moyennes, moins impressionnante que le vestibule. Des étagères pleines de livres, des tableaux modernes, d'épais tapis aux couleurs vives, un canapé et des fauteuils profonds, une guitare posée sur une table basse près de la fenêtre, tout contribuait à la rendre infiniment accueillante.

Submergée soudain par une lassitude bien compréhensible après cette journée fertile en émotions, Laurel se laissa tomber dans un fauteuil. Si seulement elle avait possédé la machine à remonter le temps... Par une malchance inouïe, elle était tombée sur le seul être sur lequel il eut fallu qu'elle fît bonne impression. A n'en pas douter, c'était raté. Il ne lui avait pas caché la piètre opinion qu'il avait d'elle... Après la baignade en tenue d'Eve, cette tentative de viol... Ah, si cette maudite Yvonne ne s'était pas conduite comme une écervelée !... Yvonne... Mais au fait, elle devait s'inquiéter de ne pas voir revenir son amie. Oh, il fallait absolument rentrer. Au moment où elle bondissait sur ses pieds, la porte s'ouvrit. Elle rencontra le regard froid et un peu étonné de son hôte.

— Je... il faut que je rentre, bégaya-t-elle.

— Mais vous venez seulement d'arriver ! Restez au moins pour le café que José est parti nous préparer.

— Oh... il ne fallait pas vous donner ce mal, dit-elle en se rasseyant. Il est horriblement tard.

— Quand on donne ses rendez-vous à minuit, il ne faut pas s'en étonner ! fit-il observer avec sécheresse.

— Ce n'était pas moi qui l'avais donné.

— Vous vous y êtes pourtant rendue... Ah, voici José.

Le serviteur posa le plateau et disparut aussi silencieusement qu'il était entré. Le comte jeta à Laurel un coup d'œil bizarre.

— Puis-je vous demander de faire le service ? N'est-ce pas la coutume chez vous de remplacer ainsi la maîtresse de maison ?

Sous le regard moqueur, Laurel rougit. Elle se dirigea vers la table pour s'emparer de la somptueuse cafetière en argent massif. Après avoir rempli les deux tasses d'un café très noir et très odorant, elle en tendit une à son hôte en faisant remarquer d'un ton acerbe :

— Vous me paraissez très au fait de nos coutumes, Monsieur.

— J'ai passé un certain temps dans votre pays.

Il prit la tasse et attendit que Laurel se fût assise pour en faire autant.

— J'ai l'impression par contre, qu'il n'en est pas tout à fait de même pour vous.

Laurel faillit s'étrangler.

— Que voulez-vous dire ?

Un imperceptible sourire étira la bouche sévère.

— Il serait de mauvais goût de ma part d'insister. J'aurais peur de vous embarrasser un peu plus en rafraîchissant vos souvenirs...

Laurel devint cramoisie. Elle n'était pas près d'oublier cette cuisante mésaventure. Les yeux baissés, elle sirota lentement son café pour se donner une contenance, avant de reprendre d'une voix entrecoupée :

— Je vous remercie de votre accueil, Monsieur, et de tout ce que vous avez fait pour moi aujourd'hui, mais je... il faut absolument que je rentre.

— Pourquoi ?

— Parce qu'il est très tard, balbutia-t-elle. Je... nous ne nous connaissons même pas...

— Vous êtes en vacances, que diable ! dit-il en éclatant de rire. Vous êtes à l'hôtel et non dans un pensionnat ! Pourquoi ne seriez-vous pas ici ? Parce que nous n'avons pas été présentés en bonne et due forme ? Vous avez peur du « qu'en dira-t-on ? »

— Euh... eh bien, oui. Je...

— Ne me dites pas que les conventions vous étouffent ! fit-il d'un ton railleur. Je ne croirais jamais cela d'une jeune personne qui se baigne comme Dieu l'a faite, et qui donne des rendez-vous à minuit à un séducteur patenté.

— Mais si, je tiens aux conventions, figurez-vous ! lança-t-elle avec violence. Ne vous méprenez pas sur mon compte. Je n'ai aucune envie qu'on se moque de moi.

— Loin de moi cette idée, Miss. Je vous demande mille pardons. Comment pourrais-je réparer ?

— Je ne vous demande qu'une chose, c'est de me croire. Je vous dis que le rendez-vous de tout à l'heure n'a pas été voulu par moi.

— Expliquez-moi alors comment votre bague se trouvait en possession de Renaldo, dit-il en la scrutant du regard.

— Elle est à Yvonne. Je voulais la récupérer à sa place.

Elle hésita un instant, ne voulant pas discréditer son amie en disant la vérité, mais désireuse cependant de se justifier aux yeux de son interlocuteur.

— J'ai estimé peu prudent pour elle d'aller à ce rendez-vous... d'où ce malentendu.

— Je ne comprends toujours pas, Miss. Pourquoi avoir donné à Renaldo un bijou qui ne vous appartenait pas ? Ou bien l'avait-il volé ?

— Oh non ! s'écria Laurel. Non, pas du tout.

Se rendant compte qu'il ne servirait à rien de lui cacher la vérité, elle poursuivit :

— Le fait est que je suis responsable d'Yvonne. Son père me l'a confiée, voulant l'éloigner d'un garçon peu recommandable dont elle s'était entichée. Vous pensez bien que ce n'était pas pour la jeter dans les bras d'un autre type comme Renaldo. J'ai donc jugé de mon devoir d'intervenir.

Elle poussa un soupir discret. Un silence tomba. Laurel leva les yeux et rencontra un regard — ô surprise — plein de compréhension.

— Quel âge a cette fameuse Yvonne ?

— Seize ans.

Il hocha la tête.

— Je comprends parfaitement vos sentiments, Miss, car je me trouve confronté au même genre d'histoire.

— Vous ?

Il sourit d'un air amusé.

— Pourquoi ces problèmes n'existeraient-ils pas aussi chez nous ? Même ici, où les traditions sont pourtant plus respectées, nous nous trouvons en butte à cette rébellion des jeunes contre toute forme d'autorité.

Laurel pensa soudain à la vieille tante adorable qui l'avait élevée après la mort de ses parents survenue peu après sa naissance. L'éducation stricte, presque puritaine, dispensée par cette Tante Adèle avait profondément marqué la jeune fille que l'idée n'aurait jamais effleurée de jeter son bonnet par-dessus les moulins. C'était cette réserve instinctive qui avait probablement gâché ses rapports avec Phil. Le garçon ne pouvait comprendre une telle réticence de la part d'une fille pourtant large d'esprit, libre et indépendante depuis plus de deux ans. Dire qu'aujourd'hui elle avait cherché à triompher de ses inhibitions ! Eh bien, pour un succès, c'était un succès !

Le comte se pencha en observant avec attention le joli visage expressif.

— Vous pensez, vous aussi, que les traditions sont faites pour être balayées ?

— Cela dépend desquelles, et de la personne en question, répondit-elle sans vouloir se compromettre.

— Dans ce cas précis, il s'agit d'une jeune écervelée, manquant totalement de jugeotte.

Devant le silence de Laurel, son hôte continua :

— Ma cousine est un peu plus âgée que votre amie. Elle aussi s'est entichée d'un garçon dont sa famille ne veut pas entendre parler. Un oisif, coureur de dot par-dessus le marché. A sa majorité, Carlota sera très riche. Nous n'avons aucune envie qu'elle se laisse embobiner par cet individu, et cherchons donc à l'éloigner de la tentation, espérant la voir enfin revenir à la raison. Elle arrive le week-end prochain.

— Ici ?

Il fit un signe de tête affirmatif.

— Je ne m'en réjouis pas follement. D'habitude, elle aime bien venir chez nous. Mais dans les circonstances actuelles...

Il n'acheva pas sa phrase.

— Votre cousine est peut-être très malheureuse, fit Laurel avec précaution. Sans doute a-t-elle cru à la sincérité de ce garçon ?

— Quoi qu'il en soit, l'affaire est close. Elle ne le reverra pas. Elle l'oubliera vite. Une fille de dix-sept ans ne sait pas ce qu'elle veut. Quant à ses sentiments...

— Ce ne sont pas vos belles paroles qui l'empêcheront de souffrir, coupa Laurel avec vivacité.

— Vous vous rangez de son côté, je vois. Et après vous être mêlée des affaires d'Yvonne, sous prétexte d'agir pour son bien. Vous êtes encore plus illogique que je ne le croyais, Miss !

La jeune fille haussa les épaules avec une lassitude infinie. Cette petite joute oratoire l'avait épuisée.

— Comment pourrais-je me ranger d'un côté plutôt que de l'autre sans en savoir davantage ? Quant à être illogique... vous êtes sûrement trop honnête pour m'accuser d'une chose pareille simplement parce que je ne suis pas de votre avis.

Il eut un petit sourire crispé et ses yeux étincelèrent.

— Autant pour moi, Miss ! De toute façon, comme vous vous en apercevrez vite, Carlota n'a pas besoin d'être défendue.

Laurel secoua imperceptiblement la tête. Que lui importaient les états d'âme de cette fille ? Il était peu probable qu'elle fît jamais sa connaissance.

— D'ailleurs, cela ne me regarde en rien, murmura-t-elle en se levant. Je suis épuisée et il...

— Oh, je vous demande pardon, dit-il en bondissant sur ses pieds. Je vais vous raccompagner. Mais d'abord...

— Oui ?

Il parut hésiter.

— Combien de temps devez-vous rester dans l'île ?

— Un peu plus d'un mois, fit Laurel, surprise.

— Et... vous êtes arrivée depuis longtemps ?

— Une petite semaine. Mais... pourquoi ces questions ?

— Pour plusieurs raisons, dit-il brutalement. Il est impossible que vous restiez désormais à la pension.

— Mais pourquoi ? Nous avons loué pour ce temps-là.

— Je veux bien le croire, Miss, dit-il avec une expression sévère sur son visage basané. Mais, étant donné les circonstances, cela ne me paraît pas du tout convenable, pour ne pas dire plus...

— Comment, pas convenable ?

— Ce serait également imprudent, continua-t-il, imperturbable. Vous avez été attaquée par un membre du personnel de la pension. Ce n'était pas votre faute, bien sûr, mais le fait est là... Je pensais pourtant que Renaldo avait compris après...

Sa voix était montée d'un ton. Il s'interrompit brusquement. Laurel se souvint de l'histoire entendue le jour même. De toute évidence, le comte n'avait pas oublié Sara, lui non plus... Mais il n'allait tout de même pas les forcer à quitter l'île, ce despote !

— Personnellement, dit-elle avec lenteur, je n'ai qu'un désir : oublier. Je ne vois pas pourquoi nous serions punies. Nous n'allons pas interrompre nos vacances sous prétexte qu'un petit flirt anodin a failli se terminer tragiquement.

— Vous avez eu peur ?

— Certes ! fit-elle en haussant les épaules. Mais ce n'est pas une raison suffisante pour quitter la pension, d'autant que celle-ci est la seule de l'île.

— Et si je vous offrais l'hospitalité ?

Laurel le regarda avec la plus intense stupéfaction.

— Vous voulez dire...

— Ne me regardez pas comme si j'étais fou ! coupa-t-il sèchement. Réfléchissez. Mme Allen sera catastrophée d'apprendre une chose pareille.

— S'il ne tient qu'à moi, elle ne le saura jamais. Je vous l'ai déjà dit, je ne désire qu'une chose : oublier cette histoire. Il en est sûrement de même pour Yvonne qui était folle d'inquiétude après avoir perdu sa bague. Quant à Renaldo, n'ayez crainte, nous aurons soin de l'éviter à l'avenir.

— Jusqu'à la prochaine fois.

Elle leva brusquement la tête.

— Que voulez-vous dire ?

— C'est clair, il me semble !

Il traversa la pièce pour aller s'appuyer à la cheminée surmontée d'une splendide glace rectangulaire sertie dans un cadre doré très travaillé.

— Je ne suis pas chargé de prendre la défense de Renaldo, poursuivit-il avec sévérité. J'avoue cependant ne pas entièrement le blâmer.

— Qui blâmez-vous alors ? lança-t-elle sèchement.

— Les écervelées qui jouent avec le feu et qui crient quand elles se brûlent. Celles qui s'exhibent sur nos plages à moitié nues et qui flirtent outrageusement avec le premier venu. Elles jouent à l'apprenti sorcier. Comment s'étonner après cela que personne ne les respecte ?

Pendant quelques secondes, Laurel le fixa, se demandant si elle avait bien entendu. Voulait-il dire qu'elle... Oh ! C'était trop fort ! L'indignation la fit exploser :

— C'est moi que vous traitez d'écervelée ? Comment osez-vous m'insulter ainsi ? De quel droit ? Vous n'avez pas honte, vous les hommes, de toujours condamner sans appel. Vous êtes tous les mêmes, égoïstes, sûrs de vous, et n'ayant pas pour deux sous de jugeote !

Ecœurée par cette dernière injustice, elle fonça vers la porte en jetant d'une voix entrecoupée de sanglots :

— Plût au ciel que je n'aie jamais mis les pieds sur cette île maudite ! Rien, vous entendez, rien ne m'y fera rester une heure de plus !

Mais il fut plus rapide qu'elle et lui barra le passage.

— Pas si vite, Miss ! Vous me condamnez sans preuve.

— Vous en avez fait autant ! Tant pis pour vous ! Laissez-moi passer ! cria-t-elle en essayant de l'écarter.

Mais les doigts d'acier de l'homme se refermèrent sur ses minces poignets.

— Pas question. Je n'ai pas l'habitude de me laisser injurier par une femme. Ceci appelle vengeance.

Folle de colère, elle se débattit comme un beau diable et dans la lutte, lui plaqua involontairement sa main sur la figure. Il poussa un juron et l'immobilisa complètement entre ses bras. Elle leva sur lui un visage ravagé. Pendant quelques secondes, il fixa sur elle un regard noir avant de pencher la tête et d'écraser ses lèvres sur les siennes.

Stupéfaite, elle se laissa faire, et le baiser furieux se prolongea... éveillant en elle des sensations inattendues. Le temps s'arrêta...

— Grosse bête, murmura-t-il dans un souffle. Vous n'avez rien compris. Je n'ai jamais voulu faire allusion à vous et à votre désagréable aventure de cet après-midi.

— Vous... vous m'avez embrassée ! Vous avez osé !

— La loi du talion ! On ne me provoque pas impunément. Et je suis prêt à recommencer si vous ne faites pas amende honorable.

— Et puis quoi encore ! Vous me traitez d'écervelée, et par-dessus le marché, vous vous conduisez comme un mufle ! Mais c'est à vous de vous excuser !

Il eut un regard de colère.

— Si vous continuez ainsi, j'explose pour de bon ! Allez-vous enfin m'écouter, au lieu de vous emballer ?

— Je n'écouterai rien tant que...

— Laissez-moi finir, s'il vous plaît.

Elle sentit qu'il se contenait avec peine et elle jugea préférable de se taire. Il reprit avec une lenteur calculée :

— Nous avons tous les deux eu le tort de généraliser un peu vite. Ne comprenez-vous pas que la conduire insensée de certaines filles risque de causer un grave préjudice aux autres ? Voyez ce qui a failli vous arriver tout à l'heure par la faute de votre protégée. Résultat : vous me rangez dans la catégorie des séducteurs comme

Renaldo. Je n'ai jamais cherché à vous condamner, je vous le jure.

Avec un soupir, il lui caressa doucement la joue.

— Je n'aurais pas fait une erreur aussi grossière. Les petites évaporées ne rougissent pas facilement. Or, vous avez rougi cet après-midi... comme une pivoine. Et vous rougissez encore en ce moment...

— Mais non, assura Laurel qui se sentait affreusement gênée. Cessez de ressasser cette horrible histoire, ajouta-t-elle sans réfléchir. Je préférerais l'oublier au plus vite !

— Je n'ai pas spécialement envie de l'oublier, dit-il avec un regard appuyé qui la fit rougir de plus belle. Bon, je ne vous en parlerai plus, mais à une condition, c'est que nous enterrions la hache de guerre.

Sans la quitter des yeux, il la lâcha et fit un pas en arrière. Complètement désarçonnée, les jambes en coton, Laurel ne savait plus du tout où elle en était. Sa bouche meurtrie ne pouvait oublier le baiser de tout à l'heure. Elle mourait d'envie de croire cet homme, d'accepter ses explications, et surtout de s'excuser d'avoir ainsi pris la mouche. Puis elle se morigéna. Elle n'allait tout de même pas se laisser prendre au charme de cet hidalgo ! Un peu plus, et elle allait succomber. Pourquoi ce changement si radical de la part de son hôte ? Enfin, inutile de se perdre en conjectures là-dessus.

— Bien, dit-elle en se dirigeant vers la porte, puisque vous le désirez...

Elle hésita, fit demi-tour.

— D'habitude, je... je ne sors pas ainsi de mes gonds. Mais cette journée a été particulièrement éprouvante.

— J'en conviens, dit-il gentiment.

Elle lui tendit la main avec gravité.

— Merci d'être venu à mon secours. Merci pour le

café. Merci pour tout. Et maintenant, je pense qu'il vaut mieux...

Elle s'interrompit en voyant le petit sourire amusé, un tantinet machiavélique, qui étirait ses lèvres.

— Une poignée de main protocolaire... après une journée pareille... Ah Seigneur! Je ne comprendrai jamais les Anglaises...

Avec un hochement de tête perplexe, il ouvrit la porte. Ils longèrent le corridor jusqu'à une porte dérobée donnant dans une petite salle dont les murs disparaissaient sous une collection d'armes anciennes. Laurel se demanda une seconde si le château recélait également des oubliettes. Mais déjà son hôte poussait une lourde porte cloutée. Au milieu de la cour, faiblement éclairée par des lanternes en fer forgé, attendait une voiture sport beige métallisé.

Fascinée par le paysage grandiose, Laurel leva les yeux. La lune était au plus haut dans le ciel. Tours, machicoulis et créneaux se découpaient sur un tapis d'étoiles. Au loin, la mer miroitait comme un galon d'argent. Le paysage offrait un aspect irréel.

Le trajet en voiture prit à peine quelques minutes. Sous le clair de lune, l'île avait un charme mystérieux et prenant, avec ses étroites routes en lacets, ses zones d'ombre et de lumière.

Quand le comte freina doucement devant le portail de la pension, Laurel étouffa un soupir involontaire. Pourquoi était-elle ainsi déçue d'être si vite arrivée ?

— Oh, dit-il en se tournant vers elle, vous devez être épuisée. Excusez-moi de vous avoir gardée si longtemps.

Elle hésita quelques secondes.

— Je... j'espère que vous n'étiez pas sérieux tout à l'heure à propos de... de notre départ de l'île ?

— Mais je n'ai jamais rien suggéré de tel ! fit-il avec surprise. Je me suis contenté de souligner le fait que vous ne pouviez rester à la pension. Rien de plus. Et je maintiens ma proposition.

— Vous voulez dire que… ?

— Mais oui, dit-il en pianotant d'une main sur le volant, j'ai pensé qu'une compagnie féminine serait tout à fait souhaitable pendant le séjour de ma cousine. Ma tante Constance, qui vit avec nous, se trouve actuellement à Grenade chez des amis. Je doute qu'elle ait envie d'écourter son séjour pour venir surveiller Carlota. Quant à moi, je dois malheureusement me rendre à Madrid pour affaires. Je ne serai pas très longtemps absent. Mais ma nièce sera livrée à elle-même et cela ne me sourit guère. Ma grand-mère est trop fragile pour faire face aux accès de mauvaise humeur de notre petite cabocharde.

Laurel ne répondit pas.

— Qui sait même, poursuivit-il, si à mon retour, je ne trouverai pas l'oiseau envolé !

— Je vois, dit lentement Laurel. Si elle est aussi volontaire que vous le dites, le problème n'est pas simple. Mais pensez-vous que la présence d'étrangers y changera quelque chose ?

— Oh oui ! Le fait d'avoir à décharger ma grand-mère de ses devoirs de maîtresse de maison la forcera à rester. Je vous demande d'étudier ma proposition. Si vous acceptez, vous ferez d'une pierre deux coups. Si vous refusez, Renaldo sera renvoyé, ne l'oubliez pas. Après ce qui s'est passé, c'est inévitable. Mais ce serait bien ennuyeux pour Mme Allen. A cette époque de l'année, elle ne trouverait pas à le remplacer si facilement.

— Ah bon, fit Laurel, un peu sceptique. J'aurais pourtant cru…

— Vous ne connaissez pas l'île et ses ressources en main-d'œuvre, coupa-t-il, encore moins le niveau de cette main-d'œuvre. Laissez-moi seul juge.

— Bien sûr, Monsieur, dit-elle avec vivacité. Mais il me faut réfléchir aussi à l'aspect financier de l'affaire. Je ne sais pas quoi faire. Nous avons payé d'avance une partie de la pension. Ce ne serait pas juste que Mme Allen y perde.

Il se mit à rire de bon cœur.

— Ah, vous les Anglaises, vous avez la tête dure ! Ne vous inquiétez pas. Personne n'y perdra. Et je serai très rassuré de vous savoir sous ma protection. Pardonnez-moi de vous le dire, mais il me semble que vous attiriez les catastrophes comme le paratonnerre la foudre. Dieu seul sait ce qui peut encore vous arriver sur l'île du Destin avant la fin de votre séjour !

Attirer les catastrophes, elle ! Et puis quoi encore ! Elle faillit répondre vertement. Mais la raison l'emporta. Après tout, en lui offrant ainsi l'hospitalité, il avait l'air visiblement soucieux de son bien-être, quoiqu'il ne lui en eût pas caché la véritable raison. Une invitation au château était bien la dernière chose à laquelle elle se fût attendue.

Voyant qu'il semblait attendre une réponse, elle dit enfin :

— Vous êtes vraiment très aimable, Monsieur. Je vous dois déjà beaucoup. Mais il ne faut pas vous croire obligé de prendre ainsi deux étrangères sous votre aile. Pour ce qui est de votre cousine... euh... je... nous serions enchantées de faire sa connaissance et de lui tenir compagnie dans la mesure du possible.

— Je croyais pourtant vous avoir bien dit qu'il n'était pas question de dette entre nous !

Il avait pivoté sur son siège. Envolé le sourire plein de charme de tout à l'heure. Dominateurs, les yeux noirs étincelaient de colère.

— Comment arriver à vous convaincre ? Les Anglais font-ils toujours autant de manières ? Croyez-vous donc que j'aie agi par simple politesse ?

— Non, non, pas du tout ! fit Laurel avec un mouvement de recul. Ne pensez surtout pas que je...

— Ecoutez-moi une bonne fois, Miss. Nous avons, nous aussi, nos traditions. Quand vous avez quitté le château tout à l'heure, j'aurais pu vous dire : « Vous êtes ici chez vous. » Je ne l'ai pas fait, car vous êtes une étrangère. Un Espagnol eut ressenti comme un affront de ne pas m'avoir entendu prononcer cette petite phrase. Franchement, ai-je à un seul moment, pu vous donner l'impression de parler pour ne rien dire ?

— Absolument pas, fit Laurel, désespérée de sa maladresse. Oh, essayez de comprendre ! Je fais peut-être des manières, mais je ne voudrais pas abuser de votre générosité.

Elle eut un soupir plein de détresse.

— Je vois que je vous ai offensé. C'est malgré moi, croyez-le bien.

Il y eut un petit silence. Puis il posa sa main sur la sienne.

— Je le sais. Et maintenant, je vous laisse. Je viendrai vous voir demain pour tout mettre au point.

Il lui prit la main et y posa ses lèvres. Laurel croyait rêver. Une demi-heure plus tôt, il l'avait embrassée sous l'empire d'une violente colère et l'avait accablée de sarcasmes. Elle avait maintenant devant elle un homme d'une courtoisie distante qui l'aidait à sortir de voiture, l'accompagnait jusqu'au porche et s'inclinait en murmurant avant de s'éloigner :

— « Adios, ne réveillons surtout pas les vieilles badernes. »

Laurel s'immobilisa un instant sur le perron, regardant le coupé disparaître dans la nuit. Cette journée interminable l'avait terriblement éprouvée. Elle avait l'impression de délirer. Ce matin, lorsqu'elle était partie à la découverte de l'île, le comte n'était encore qu'un nom pour elle ; maintenant, il paraissait remplir son univers...

— Laurel ! Où êtes-vous allée ?

Yvonne venait d'apparaître en haut de l'escalier. Les veilleuses du couloir soulignaient ses traits tirés et son regard plein d'angoisse.

— J'ai failli devenir folle ! poursuivit-elle sur un ton accusateur. Qui était-ce ? J'ai vu la voiture...

Sans donner à Laurel le temps de répondre, elle tendit la main en demandant :

— Vous l'avez ?

Laurel la fixa une seconde, la bouche ouverte, le regard sans expression. Puis elle faillit éclater de rire devant l'ironie de la situation.

Cette maudite bague, cause de tous ses malheurs, le comte l'avait gardée !

5

— Vous a-t-il dit à quelle heure il viendrait ?

— Non, dit Laurel. Simplement qu'il passerait dans la journée.

Yvonne fit la grimace.

— Mais s'il ne vient pas ? Et si je ne récupère pas ma bague ? Vraiment, Laurie, je vous trouve étonnante ! Comment avez-vous pu oublier de la lui demander ?

— Ça m'est complètement sorti de la tête, dit Laurel avec une certaine impatience. Mettez-vous à ma place. Nous nous étions disputés... Après cela, je n'avais plus qu'une idée : rentrer. N'oubliez pas que j'avais d'abord dû me défendre contre votre Casanova. Si vous croyez que c'était une partie de plaisir !

— Dites-moi, fit Yvonne avec une lueur un peu trouble dans les prunelles, est-ce qu'il vous a vraiment...

— Il s'en est fallu de peu, coupa sèchement Laurel.

— Fichtre ! s'exclama Yvonne. Hier soir, je n'arrivais pas à deviner si vous me faisiez marcher ou non. Vous ne l'avez pas, tout de même un peu encouragé ?

— Absolument pas ! se défendit Laurel.

— Vous ne voulez rien me dire ?

— Je vous ai tout raconté en rentrant.

— Pas vraiment...

— Si vous voulez des détails croustillants, ne comptez pas sur moi, dit Laurel avec fermeté.

— Oh, vous n'êtes pas chic ! gémit Yvonne. Et pourtant, quelle aventure inouïe ! Un Grand d'Espagne qui vole à votre secours à minuit, sur son grand cheval noir et vous emporte au galop jusqu'à son château... Ah il y a des gens qui ont de la veine !

— Je m'en serais bien passé !

Tournant délibérément le dos à Yvonne, Laurel se mit à s'habiller. Les cernes mauves sous ses yeux disaient assez qu'elle avait eu du mal à trouver le sommeil la nuit précédente, après les émotions et les surprises de la journée. Certes, au grand jour, tout ceci semblait n'avoir été qu'un rêve, ou plutôt un cauchemar qu'elle aurait volontiers oublié. Mais Yvonne veillait. Pendant tout le petit déjeuner, elle ne cessa de la harceler de questions.

— Alors, nous allons séjourner au château ?

— Je ne sais pas.

— Mais s'il nous a invitées...

— Est-ce bien prudent d'accepter, je me le demande ?

— Pourquoi pas ? Moi, je trouve ça génial. Dites-moi comment il est. Quel âge a-t-il ?

— Je ne le lui ai pas demandé, répliqua Laurel.

Yvonne eut l'air peiné. Laurel reprit plus doucement :

— Je lui donnerais un peu plus de trente ans.

— Il est bien ? Aussi séduisant que Renaldo ?

— Difficile à dire... commença Laurel d'une voix rêveuse.

Elle trouvait le comte très bel homme. Quant à le comparer à Renaldo, autant vouloir comparer un jeune chat de gouttière avec un tigre royal... Craignant de ne pouvoir dissimuler le trouble qu'il lui inspirait, elle s'empressa de clore la conversation :

— Oh, et puis, vous verrez bien vous-même.

— Mais, j'y pense, Laurie, vous avez parlé tout à l'heure d'une dispute avec le comte. A quel sujet était-ce ?

Seigneur, j'ai eu la langue trop longue, se dit Laurel qui n'avait aucunement l'intention de raconter à Yvonne dans quelles circonstances humiliantes elle avait déjà rencontré le maître de l'île du Destin. Elle répondit posément :

— J'exagérais un peu. Comme vous, le comte s'est imaginé que j'avais encouragé Renaldo. Je l'ai détrompé assez sèchement. Il n'a sans doute pas l'habitude d'être remis à sa place sur ce ton.

— Ce n'est que ça ?

— Cela suffit, non ? dit Laurel qui avait envie de changer de sujet. Vous vous sentez mieux ce matin ?

— Moi ? Oh oui. Je vais bien. Pourquoi ? J'ai une triste mine ?

— Pas du tout ! répondit gentiment Laurel. Je serais heureuse d'avoir aussi bonne mine que vous.

Yvonne parut surprise.

— Mais vous êtes du tonnerre, Laurie, toujours fraîche et pimpante. On dirait que vous sortez d'une boîte.

Ce fut au tour de Laurel d'être étonnée par ce compliment inattendu et flatteur.

— Ne vous inquiétez pas de votre apparence, ma petite Yvonne. Vous n'avez rien à envier à qui que ce soit.

— Vous croyez ?

— J'en suis sûre, fit Laurel en achevant sa tasse de café. Maintenant, je vais faire un peu de chaise longue au jardin. Et vous ?

— Je ne vous quitte pas. Je brûle d'impatience de voir le Seigneur caracoler sur son destrier.

Munies de lunettes de soleil et de bouquins, elles

partirent toutes deux lézarder paresseusement. Mais personne n'apparut. Yvonne trouvait que le comte se faisait désirer. Après déjeuner, elle recommença de s'inquiéter pour sa bague.

La terrasse résonnait maintenant des ronflements peu discrets des messieurs âgés et des papotages de leurs épouses. Un peu plus loin, M. Jamieson, planté sur ses jambes maigrelettes, faisait des moulinets avec sa canne.

— Regardez ce pépère... murmura Yvonne. Il se croit au golf... Laurie, je m'en vais. Je ne resterai pas une minute de plus avec tous ces vieux fous ! C'est au-dessus de mes forces.

— Où allez-vous ?

— A la plage. Ce sera peut-être un peu plus distrayant.

Elle partit à longues enjambées souples, gracieuse à ravir dans son short écarlate et son petit débardeur en fil d'Ecosse. M. Jamieson la suivit longuement d'un regard nostalgique.

Pourvu que Renaldo ne soit pas à la plage, se dit Laurel avec un petit soupir. Que pouvait-elle faire de plus ? Impossible d'avoir son amie à l'œil du matin au soir. D'ailleurs, ce n'était pas plus amusant d'être le geôlier que le prisonnier ! Le comte avait probablement raison. C'était sans doute au château qu'Yvonne serait le mieux protégée. Si, par hasard, Carlota se montrait raisonnable et gentille, son amitié serait peut-être précieuse pour Yvonne qui avait du mal à cacher son ennui. D'ailleurs, comment l'en blâmer ? L'île n'était pas précisément distrayante pour une fille de son âge et de son tempérament. Laurel se surprit à espérer que l'invitation du comte n'avait pas été de pure forme et que celui-ci n'allait pas tarder.

En attendant, autant faire un peu de correspondance. Elle partit chercher de quoi écrire dans sa chambre.

Dans le hall, elle croisa Miss Jessops. Cette douce petite créature solitaire éveillait toujours en Laurel un sentiment de pitié. Au passage, elles échangèrent quelques phrases polies. Quand Laurel redescendit, la vieille demoiselle était toujours là et regardait d'un air perplexe le stand de cartes postales proche de la réception.

— J'oublie toujours qu'il n'y a personne à cette heure-ci. Croyez-vous que je pourrais en prendre ? Je ne voudrais pas déranger Mme Allen.

Laurel sourit gentiment.

— Il n'y a sûrement aucun problème. Je vais en prendre moi aussi. Je laisse l'argent dans cette soucoupe.

Miss Jessops en fit autant et, tout naturellement, suivit Laurel dans un coin de la terrasse où un auvent de toile dispensait une relative fraîcheur.

— Votre amie vous a abandonnée ? demanda-t-elle.

— Oh… pour un petit moment seulement. Elle est descendue à la plage.

— Elle ne doit pas nous trouver très amusants. A son âge, c'est normal. Les jeunes s'imaginent toujours qu'on n'a jamais vécu avant eux. Et pourtant, quand j'y songe… Dans notre jeune temps, nous nous sommes bien amusées, mon amie et moi. Je me souviens d'Emma, follement amoureuse d'un jeune français rencontré à Nice. Avec un de ses amis, il nous avait suivies le long de la promenade des Anglais pendant des kilomètres. A cette époque-là, on ne faisait pas connaissance si facilement. Si jamais la mère d'Emma l'avait appris, c'eut été un drame… Oh oui, ce furent de merveilleuses vacances. J'ai rencontré Mark peu après… Nous devions nous marier…

Elle eut un soupir à fendre l'âme.

— C'était en 1940. La guerre a éclaté. Mark a disparu dans l'enfer de Dunkerque…

— C'est affreux, murmura Laurel, la gorge serrée.

— Ce fut un écroulement... Mais il a bien fallu continuer à vivre...

Gorgée de nectar et de soleil, une abeille bourdonnait dans le chèvrefeuille qui tapissait le mur. Un oiseau invisible pépiait dans un arbre proche. Miss Jessops continuait à égrener les souvenirs d'un passé révolu. Soudain, elle s'interrompit d'un air penaud.

— Pardonnez-moi, ma chère petite, je dois vous ennuyer à mourir.

— Mais pas du tout, se récria Laurel.

— Vous êtes certainement trop indulgente ! Je ne dis plus un mot !

Et la vieille anglaise de se plonger dans sa correspondance. Le silence régna un moment. Un peu avant quatre heures, les autres pensionnaires commencèrent à revenir du jardin. En effet, Mme Allen maintenait la tradition du fameux thé pour ceux qui le désiraient.

A la grande surprise de Laurel, Yvonne fit son apparition au moment précis où les portes coulissantes de la salle à manger s'ouvraient pour laisser passer la table roulante.

Elle se laissa tomber sur une chaise longue en lançant à Laurel un regard éloquent que celle-ci préféra ignorer.

— Avez-vous passé une bonne après-midi ? demanda Miss Jessops.

— Vous plaisantez, je pense ! fit la jeune fille en prenant un air écœuré.

Avec un imperceptible haussement d'épaules, la vieille demoiselle se leva pour se diriger vers l'autre bout de la terrasse où le thé était servi.

Comme une nuée de sauterelles, les pensionnaires s'étaient agglutinés autour de la table et picoraient allégrement canapés et petits gâteaux maison.

— Regardez-les, dit Yvonne. Ils ne vivent que dans l'attente des repas. Ils n'ont vraiment rien d'autre à faire, ces malheureux !

— Plus bas, Yvonne ! chuchota Laurel. On pourrait vous entendre.

— Et alors ? C'est vrai, non ?

— A l'avenir, Miss, je vous conseillerais de faire vos remarques un peu plus discrètement.

La voix sèche et hautaine fit se retourner les deux jeunes filles d'un même mouvement. En reconnaissant le sombre regard moqueur qui la hantait depuis la veille, Laurel porta une main à sa gorge. Depuis quand le comte était-il là, derrière son fauteuil ? Comment ne l'avait-elle pas entendu arriver ?

— Vous n'avez pas honte d'écouter aux portes, Monsieur ! fit Yvonne d'un ton pointu.

Très à l'aise, le comte avait les yeux fixés sur le visage indigné de la jeune fille. Un sourire détendit ses traits sévères.

— Excusez-moi, Miss. Vous avez raison. Ma faute est beaucoup plus grave que la vôtre. Permettez-moi de me présenter... Rodrigo de Renzi, pour vous servir. Et vous, Miss, vous êtes sûrement...

A son tour, Yvonne se nomma, visiblement charmée par ce bel homme. L'air enjôleur, elle le regarda dans les yeux en ajoutant :

— Je vous pardonne, Monsieur. De votre côté, vous avez sans doute deviné que je ne voulais blesser personne.

— J'en suis convaincu, Miss, dit-il en inclinant la tête avec gravité.

Puis il se tourna vers Laurel et demanda :

— Puis-je me joindre à vous ?

— Bien sûr.

Démontée, les jambes tremblantes, elle se rassit gauchement. Elle admirait l'aisance d'Yvonne qui semblait enchantée de monopoliser l'attention de cet homme infiniment séduisant. Il sembla deviner l'appel muet des beaux yeux brillants et très vite, sortit la bague de sa poche en lui recommandant de la mettre en sûreté. Elle lui tendit sa main fine.

— C'est encore là qu'elle sera le mieux, je crois.

— Vous permettez ? dit-il en la lui glissant au doigt.

Yvonne le remercia chaudement, ajoutant avec emphase que son père l'aurait tuée si elle l'avait perdue. Laurel ne put réprimer un sourire cynique. Gordon Searle était bien le dernier homme à faire une chose pareille !

— Ce n'est pas moi qu'il faut remercier, Miss, mais votre amie.

— Oh oui, fit Yvonne avec désinvolture, la pauvre Laurie a eu des ennuis pour la récupérer, si j'ai bien compris.

— Vous ne croyez pas si bien dire... la pauvre Laurie, en effet...

Son regard posé sur Laurel était redevenu grave.

— Etes-vous remise de vos pénibles émotions d'hier, Miss ?

Bouleversée d'entendre pour la première fois son prénom sur les lèvres du comte, Laurel hocha vaguement la tête avant de demander timidement :

— Vous désirez peut-être du thé ?

— Merci. J'ai déjà demandé à Mme Allen de nous l'apporter. Je lui ai également parlé de notre affaire. Elle est tout à fait de mon avis. Il ne me reste plus qu'à obtenir votre accord.

Les yeux d'Yvonne brillaient d'excitation. Laurel hésitait encore. Avaient-elles raison de laisser ainsi le comte mettre le nez dans leurs affaires ? Enfin... si Mme Allen était d'accord...

A cet instant parut Rosita poussant devant elle une petite table roulante sur laquelle étincelait une superbe argenterie ancienne au milieu de ravissantes tasses de porcelaine tendre.

— C'est du favoritisme ! chuchota Yvonne en voyant les regards surpris des autres pensionnaires.

Très décontracté dans son costume impeccablement coupé, Rodrigo de Renzi se laissa servir par Rosita avec le plus grand naturel. C'est un véritable caméléon, pensait Laurel en buvant songeusement son thé. Il s'adapte à toutes les situations avec une étonnante facilité. Yvonne était visiblement conquise.

Peu après le départ du comte, la nouvelle se répandit comme une traînée de poudre. Tout le monde parut envier les deux jeunes filles d'être invitées chez le Seigneur de l'île en personne. Et lorsqu'un peu plus tard, le chauffeur de celui-ci vint les chercher pour les conduire à Valderosa, les pensionnaires étaient tous à la grille pour leur dire au revoir.

Quand la somptueuse voiture ralentit devant l'entrée du château, Laurel se sentit envahie par une étrange exaltation. Le cœur battant à tout rompre, elle descendit du coupé. Leur hôte se précipita pour les accueillir.

— On va vous montrer vos chambres, proposa-t-il. Nous dînerons à neuf heures, si vous voulez bien, mais en toute simplicité, puisque ma tante Constance n'est pas encore rentrée.

— Qu'entend-il par simplicité ? murmura Yvonne, une fois seule avec son amie dans la magnifique chambre attribuée à celle-ci. Nous descendons en jean ou sur notre trente et un ?

— Avec ma jupe de velours et mon haut de dentelle, je ne risque pas de me tromper.

Yvonne eut un sourire machiavélique.

— J'ai bien envie de mettre ma tenue neuve, vous savez, la rouge et noire... transparente... Ne serait-ce pas digne de Sa Majesté ? Cela le changera peut-être des repas guindés auxquels il doit être habitué !

En voyant l'expression épouvantée de Laurel, Yvonne partit d'un grand éclat de rire.

— N'ayez pas peur ! Je plaisantais... N'est-ce pas fantastique d'avoir chacune notre chambre ? Venez voir la mienne... une vraie salle de bal. Mon balcon donne sur la mer. Un rêve...

Les chambres étaient meublées avec un luxe de bon aloi. Il n'y manquait aucun de ces petits raffinements qui font le charme de l'existence. Celle de Laurel était tapissée d'un ravissant papier à rayures rose pâle et argent. Rideaux et dessus de lit étaient d'un rose uni plus soutenu. De gracieux meubles blanc et or étaient disséminés sur l'épaisse moquette gris clair. Quant à celle d'Yvonne, c'était une symphonie de lilas et de jaune.

— Je m'attendais à des lits à baldaquin, des meubles en chêne noirci, et à de sévères portraits d'ancêtres conquistadors, s'écria Yvonne, à tout, mais pas à ce quatre étoiles ! C'est papa qui apprécierait cela pour ses voyages organisés !

Laurel poussa une exclamation étranglée.

— Qu'avez-vous ? fit Yvonne en s'approchant de son amie qui venait de se laisser tomber au pied du lit, le visage assombri.

— Oh, mon Dieu, comment avais-je pu oublier ?

— Oublier quoi ?

— La mission confiée par votre père.

— Ne me dites pas que vous n'avez pas encore avoué à ce type la raison de notre séjour sur l'île...

— Mais non ! gémit Laurel. Justement. Il s'est passé tant de choses depuis deux jours que cette histoire m'est complètement sortie de la tête. Que vais-je faire, Seigneur ? Comment révéler maintenant à notre hôte que je suis venue dans le but d'explorer le terrain ?

— Ce n'est pas possible, dit nettement Yvonne.

— Mais si, et c'est même mon devoir. Je n'ai pas le choix.

— Je ne suis pas de votre avis, dit Yvonne avec

vivacité. Réfléchissez. N'est-ce pas au contraire une occasion merveilleuse pour nous ? Nous sommes dans la place, il nous dira tout, nous montrera tout. Que de temps gagné.

— Non, je ne veux pas. Ce serait de l'imposture.

— N'exagérons rien. D'ailleurs, vous n'en êtes qu'au stade de l'étude préliminaire. Cela peut donc aussi bien s'arrêter là. Le comte n'en saura rien.

— Je ne peux lui laisser croire que je suis une simple touriste, dit Laurel en se relevant d'un bond. Je le lui dirai quand nous descendrons. Je n'ose penser à la façon dont il le prendra.

— Ah, soupira Yvonne, c'était trop beau pour être vrai ! J'ai bien peur de n'avoir plus qu'à refaire mes bagages !

Un silence tomba. Yvonne s'approcha de Laurel appuyée songeusement à la fenêtre.

— Laurie...

— Oui ?

— Vous n'allez pas me dire que l'opinion d'un étranger compte à ce point pour vous ?

— Non, bien sûr, dit Laurel en se retournant brusquement, mais je suis déchirée, comprenez-moi. Il me paraît impensable de tromper un homme qui nous offre ainsi l'hospitalité.

— Ecoutez, Laurie, ne vous mettez pas martel en tête, protesta Yvonne. Le comte ne nous a pas invitées ici par grandeur d'âme. Son but est intéressé, vous le savez bien. Il lui faut quelqu'un pour distraire sa capricieuse petite cousine. Il nous avait sous la main... Nous sommes à égalité, non ?

— C'est un raisonnement par trop simpliste, Yvonne.

— Je vous l'accorde, fit Yvonne avec un haussement d'épaules. Mais que va dire Papa en nous voyant débarquer ?

Laurel fixa son amie d'un regard perçant, comme si

elle commençait soudain à comprendre où celle-ci voulait en venir.

— Une fois Rodrigo de Renzi au courant, continua Yvonne d'un air tendu, le château nous sera fermé... la pension aussi. Il n'y aura plus qu'à lever le camp. Papa voudra savoir le pourquoi de la chose. Je serai bien obligée d'avouer. Il dira que tout est de ma faute.

— Mais non, dit gentiment Laurel. Comment aurait-on pu penser que les choses allaient tourner aussi mal ?

— Si, c'est de ma faute, gémit Yvonne, les yeux brillants de larmes contenues. Sans moi, rien de tout ceci ne serait arrivé. Et papa le devinera tout de suite, sans même qu'on ait besoin de le lui dire. Je... je lui ai déjà causé tellement de soucis...

Deux grosses larmes coulèrent sur les joues pâlies.

— Je... je n'ai pas envie de descendre dîner, Laurie, ajouta-t-elle en reniflant.

Comment sortir de cette impasse ? Yvonne ne s'était certainement pas trompée. Dès qu'il apprendrait la vérité, le comte leur enjoindrait de quitter l'île. Laurel n'avait pas de mal à se rappeler sa colère et son attitude tyrannique de la veille. Il ne lui avait pas caché son opinion sur les filles qui faisaient fi des conventions. D'autre part, comment oublier qu'elle était au service de Gordon Searle ? Celui-ci serait terriblement déçu d'un échec.

— Il faut descendre dîner, Yvonne, dit-elle enfin, quand ce ne serait que par courtoisie pour notre hôte.

— Vous... vous allez le lui dire ?

— Je ne sais pas, dit Laurel en se dirigeant vers la porte. Je dois réfléchir.

— Ne le faites pas devant moi, en tout cas, supplia Yvonne. Ce serait horriblement gênant. C'est mon père après tout qui veut développer le tourisme sur l'île. Vous, vous ne faites qu'exécuter les ordres.

Yvonne paraissait tellement abattue que Laurel n'eut

pas le courage de lui refuser la promesse demandée. Mais elle avait le cœur lourd en entrant un peu plus tard dans l'immense salon où les attendait le comte. Cette supercherie allait à l'encontre de tous les principes qu'on lui avait inculqués. Et pourtant, si elle parlait, sa franchise pourrait avoir des répercussions aussi désastreuses sur les projets de son patron, que sur la santé précaire de sa femme.

Les choses auraient été plus faciles pour Laurel si le comte s'était montré désagréable et hautain comme la veille. Hélas, ce soir-là, on eut dit qu'il avait à cœur de déployer tout son charme au bénéfice de ses deux jeunes invitées.

Ils avaient pris un apéritif dans le salon baigné de musique douce, avant de passer à la salle à manger. C'était une pièce de belles proportions aux meubles patinés par les ans. La lumière des hauts candélabres jouait sur l'argenterie finement ciselée. Un serviteur impassible et silencieux leur avait servi un dîner exquis : melon glacé, salade de fruits de mer, perdrix à la castillane servies avec de tendres petits légumes et un merveilleux soufflé au Grand Marnier, le tout arrosé d'un vin de pays.

Laurel avait l'impression de naviguer en plein conte de fées. Dans son smoking éclairé d'une chemise blanche finement plissée, Rodrigo de Renzi semblait plus racé que jamais. L'éclairage tamisé donnait à ses traits austères un air de mystère infiniment séduisant.

— Ma grand-mère me charge de vous souhaiter la bienvenue, dit-il au cours de la conversation. Elle se réjouit de vous voir demain. Elle est très fragile, ajouta-t-il en guise d'explication. Elle sort de moins en moins de son appartement où sa femme de chambre la dorlote comme un enfant.

Ce fut tout. Laurel se demandait si d'autres membres

de sa famille vivaient au château et comment ils accueilleraient les deux étrangères.

La soirée était si belle qu'ils sortirent sur la terrasse après dîner. Rodrigo de Renzi dirigeait la conversation avec une aisance consommée. Yvonne, tout épanouie, lui donnait la réplique avec entrain. Tendue, absorbée, Laurel était perdue dans la contemplation du clair de lune sur la mer. Il était plus de minuit lorsque le comte s'écria :

— Oh, pardonnez-moi, je crains de vous avoir accaparées. Vous désirez sûrement défaire vos bagages et vous installer.

Il les accompagna jusqu'au pied de l'escalier et là, s'inclina avec courtoisie. Laurel commençait à monter derrière Yvonne, lorsque la voix affable mais autoritaire la fit s'arrêter brusquement.

— Oh, j'avais oublié, Miss Daneway... Puis-je vous dire un mot ?

Visiblement, le comte attendait qu'elle redescendît. Laurel obtempéra de mauvaise grâce. Son cœur battait à coups sourds. Il la fit entrer dans une très belle bibliothèque et referma la porte.

— Vous paraissez préoccupée, Miss ? lui demanda-t-il tout à trac.

— Moi ? Non, pas du tout !

— J'ai à peine entendu le son de votre voix, ce soir.

— Ah bon ? Je... c'est involontaire.

— Vous aurais-je offensée par inadvertance ?

Laurel se sentit assez décontenancée. A cette galanterie inhabituelle, elle préférait presque sa colère et son arrogance de la veille.

— Comment pourriez-vous m'offenser, Monsieur ? Je suis confuse de vos bontés. Vous nous avez accueillies comme des princesses.

— C'est tout à fait normal, assura-t-il avec orgueil. Je tiens à ce que votre séjour parmi nous soit aussi agréable que possible. C'est pourquoi je m'inquiétais de vous sentir soucieuse...

Il la regardait droit dans les yeux, attendant sa réponse. La gorge affreusement serrée, Laurel hésitait. N'était-ce pas le moment de lui avouer la raison de sa présence sur l'île ? Une autre occasion ne se représenterait peut-être jamais. Que lui dire ? Comment commencer ? Elle cherchait encore ses mots lorsqu'elle vit son expression changer. Une étincelle passa dans les yeux noirs. La belle bouche sensuelle eut une moue amusée.

— Allons, Miss, n'ayez pas peur ! Où est passé ce bel esprit combatif dont vous avez fait preuve hier à mon égard ?

Son sourire devint franchement moqueur.

— Est-ce parce que vous avez charge d'âme que vous avez l'air d'avoir avalé votre parapluie ?

— Peut-être, fit Laurel d'une voix sans timbre.

Trop tard. L'occasion était passée. Mais un nouveau danger la menaçait maintenant. Il n'y avait pas vingt-quatre heures qu'elle connaissait cet homme, et déjà elle avait appris à reconnaître ses réactions. Après les taquineries, ce serait la colère ! Il allait la forcer à dire des choses qu'elle regretterait ensuite. Et avec lui, c'était la loi du talion. Elle l'avait déjà appris à ses dépens.

Il souriait toujours.

— Vous êtes Anglaise, que diable, pas Espagnole !

— Ce serait mesquin de ma part d'attaquer un hôte si généreux.

— Alors, fit-il avec un imperceptible mouvement de regret, on ne jette plus d'étincelles ?

— Non, laissa tomber sèchement Laurel.

Il leva les yeux vers le portrait d'un homme en armure au visage sévère, et répliqua :

— Quel dommage d'avoir affûté mon sabre pour rien !

— Qu'avez-vous besoin d'une arme contre un adversaire sans défense ?

— Ne vous sous-estimez pas, ma belle amie. Je crains bien que votre douceur ne cache une force peu commune.

— Vous parlez peut-être d'expérience, Monsieur. Je vous assure pourtant que je n'ai aucune envie de croiser le fer avec vous.

— Ne me provoquez pas, dit-il en avançant vers elle.

— Mais c'est vous qui le faites ! Est-ce une habitude avec vos invités ?

— Seulement quand ils en sont dignes.

— Ah, vous vous moquez encore de moi, je vois, murmura-t-elle d'une voix lasse.

Il y eut un silence. D'un mouvement souple, il s'approcha d'elle et l'empoigna par les épaules. Elle sentit son souffle qui faisait voleter une mèche folle sur sa tempe.

— Jamais, chuchota-t-il.

Un frémissement inexplicable parcourut le corps de Laurel et lui fit revivre les baisers ardents de la nuit précédente. Infiniment troublée, elle se dégagea avec vivacité en bégayant n'importe quoi.

Aussitôt Rodrigo reprit son masque d'homme du monde et murmura :

— Je vous ai retenue bien longtemps. Je vous en demande mille pardons...

Il lui ouvrit la porte. Mais avant qu'elle ait fait un pas, il s'empara de sa main et la porta longuement à ses lèvres.

Laurel bredouilla un bonsoir inaudible et sortit de la pièce en chancelant. Son cœur battait follement dans sa poitrine. Que signifiait cette étrange exaltation mêlée de tristesse qui l'envahissait ?

6

— Ah, c'est la belle vie ! s'écria Yvonne en contemplant ses jolis ongles roses sur lesquels elle venait d'appliquer une couche de vernis nacré. Qu'en dites-vous ?

Laurel sourit avec indulgence.

— Quelle petite sybarite vous devenez ! Alors, on apprécie ses leçons d'équitation ?

— Et comment ! fit Yvonne en grimaçant un sourire. Et vous, parlez-moi de vos séances de poésie avec Doña Luisa.

— Quelle charmante vieille dame ! C'est malheureux qu'elle soit ainsi clouée dans sa chambre par les rhumatismes.

— Elle s'est prise de sympathie pour vous, on dirait...

— Elle doit se sentir bien seule, parfois. J'admire que l'âge n'ait absolument pas affaibli ses facultés intellectuelles.

— On me payerait cher pour passer la moitié de la journée à lire de la poésie ou à discuter des mérites de quelque obscur écrivain du siècle dernier ! Personnellement, je préfère la plage. A tout à l'heure.

La jeune fille s'empara d'un peignoir de bain et sortit

de la pièce en courant. Laurel la suivit des yeux avec une certaine envie.

Elles étaient au château depuis trois jours. Yvonne était grisée. Elle adorait les chevaux. Rodrigo n'avait pas été long à découvrir qu'elle était une cavalière émérite. Il lui avait choisi dans son écurie une jument à la robe isabelle et, monté sur son superbe étalon noir baptisé César, l'accompagnait lui-même chaque matin. Sous la conduite de ce guide idéal, Yvonne découvrait l'île avec ravissement. Après la ballade, on se retrouvait pour le café dans l'appartement de Doña Luisa. L'après-midi, les deux jeunes filles se baignaient, se doraient au soleil ou se promenaient dans les jardins enbaumés de la propriété.

Le comte se révélait un hôte parfait. Rien n'était trop beau pour ses jeunes invitées. Yvonne appréciait visiblement la cour discrète qu'il lui faisait. Laurel se montrait plus réservée. Elle se sentait si vulnérable lorsqu'il s'agissait de lui... et puis, sa conscience ne la laissait pas en repos.

Avec un soupir, elle sortit de sa chambre pour se rendre chez la grand-mère de Rodrigo. Maria, la femme de chambre de Doña Luisa, vint lui ouvrir. La vieille dame était assise dans un fauteuil sculpté à haut dossier, près d'une porte-fenêtre ouverte sur la terrasse. Sa canne à pommeau d'argent était posée sur une chaise à côté d'elle. Une pile de livres aux reliures anciennes se trouvait à portée de main sur une petite table en marqueterie. En voyant entrer sa visiteuse, ses beaux yeux noirs s'illuminèrent.

Doña Luisa avait quatre-vingts ans. Malgré l'arthrose qui déformait ses articulations, elle se tenait encore droite comme un i, et l'on devinait sous le lacis de rides de son visage, des traits finement ciselés d'une très grande beauté.

— Soyez la bienvenue, ma petite Laurel, dit-elle en

souriant. Venez vous asseoir près de moi. Vous pouvez nous laisser, Maria.

Laurel prit place dans un confortable fauteuil en osier. Une brise légère balayait la terrasse, apportant avec elle les mille parfums du jardin et le bourdonnement des abeilles en quête de nectar. Au-delà d'une arcade de chèvrefeuille et de vigne-vierge, on apercevait une fontaine de marbre dont le jet retombait dans la vasque avec un faible clapotis.

— Mon jardin vous plaît ? demanda Doña Luisa.

— Il est magnifique, sourit Laurel.

— Mon petit-fils l'a fait redessiner il y a deux ans pour que je puisse continuer à m'y promener malgré mes infirmités. Je vais vous montrer mon coin favori. Voulez-vous être assez gentille pour me prêter votre bras ?

— Mais avec joie, Madame, fit la jeune fille en se levant d'un bond pour lui tendre sa canne.

La vieille douairière se mit péniblement debout et traversa lentement la terrasse qui se prolongeait par une large allée serpentant au milieu des pelouses et des parterres fleuris. Doña Luisa connaissait chaque fleur par son nom.

— Rodrigo a choisi mes préférées. C'est un bon petit-fils, vous ne trouvez pas ?

— Certainement, dit Laurel avec gentillesse.

Elle dressa soudain l'oreille, surprise par un véritable concert de pépiements et de chants d'oiseaux. Voyant son expression étonnée, Doña Luisa sourit :

— José est en train de donner à manger à mes oiseaux. Vous allez les voir dans un instant.

L'allée s'interrompit devant un portail scellé dans un haut mur tapissé de clochettes roses et mauves. Laurel l'ouvrit, s'effaça pour laisser passer la vieille dame et entra à son tour. Elle se trouvait dans une vaste clairière circulaire bordée d'arbustes, de charmilles et d'arbres en fleurs. En son centre, se dressait une immense volière. Des dizaines d'oiseaux multicolores y voletaient en tous sens. A l'intérieur de la cage, José leur jetait des poignées de graines. Les petites boules de plumes étaient agglutinées autour de lui, certaines s'étaient même posées sur sa tête et ses épaules.

En bonne Anglaise membre de la Société Protectrice des Animaux, Laurel n'aimait pas du tout voir les oiseaux en cage. Elle avait entendu raconter d'horribles anecdotes sur les sévices qu'on leur infligeait parfois sur le continent. C'est ainsi qu'elle connaissait la coutume barbare de rendre aveugles certains oiseaux dans l'espoir qu'ils chanteraient mieux. Aussi se pressa-t-elle contre la grille pour s'assurer qu'il n'en était rien.

— Ne vous inquiétez pas, ma petite Laurel, fit la comtesse qui semblait avoir deviné ses craintes. Mes oiseaux sont très bien soignés. Regardez... On a tout fait pour recréer leur cadre habituel. Ils ont l'espace voulu pour voler et se reproduire. Je vous garantis qu'ils survivent ici beaucoup plus longtemps que dans leur forêt natale.

Rassurée, Laurel se détendit.

— Et maintenant, si vous voulez bien, dit la comtesse en se remettant en marche avec difficulté, nous allons nous asseoir ici un instant. Il y a de l'ombre. Aucun risque pour votre joli teint d'anglaise.

Elles passèrent un agréable moment sous une tonnelle en bavardant de choses et d'autres. Mais très vite la vieille dame remit la conversation sur son petit-fils qu'elle adorait visiblement. Il lui avait été confié à l'âge de seize ans, après la mort tragique de ses parents dans une catastrophe aérienne. Elle-même était à cette époque-là veuve depuis peu.

Laurel murmura quelques mots de sympathie. Son interlocutrice haussa les épaules avec résignation.

— Le destin a été cruel pour moi... Mon mari et mon

fils unique enlevés en si peu de temps... Mais la responsabilité la plus lourde est retombée sur les épaules de Rodrigo qui n'avait même pas terminé ses études et se trouvait du jour au lendemain, à la tête d'un domaine aussi important que Valderosa.

Doña Luisa avait trois filles. Les deux aînées étaient mariées. Constance, la cadette, avait décidé de vivre à Valderosa.

— C'est le mouton noir de la famille, fit la comtesse avec une grimace. Nous nous sommes opposés à son mariage avec un garçon qui ne nous convenait pas, et par la suite c'est elle qui a refusé les partis que nous lui proposions. Regrette-t-elle maintenant d'avoir voulu faire preuve d'indépendance ? Quelle est la vieillesse qui l'attend, dans cette demeure sur laquelle règnera sans doute bientôt une nouvelle maîtresse ? Car il faudra bien que Rodrigo finisse par se marier.

Pauvre Constance, songeait Laurel. Encore une victime des traditions de ces Grands d'Espagne qui décident de l'avenir de leurs filles sans se soucier de leurs sentiments. Mais, par respect pour son hôtesse, elle garda le silence. Celle-ci avait mentionné le mariage de Rodrigo. Avait-on choisi sa femme ? A quoi ressemblait-elle ? Etait-ce une beauté brune aux cheveux de jais, aux yeux de velours et au tempérament de feu ? Il fallait absolument qu'elle sache... Elle avait la question au bout des lèvres lorsque Doña Luisa reprit :

— Hélas, Carlota tient de sa tante, et en bien pire ! Depuis son enfance, elle est rebelle à toute discipline, à tout conseil. Rodrigo vous a parlé de sa dernière toquade, je suppose ? C'est insensé.

Elle poussa un profond soupir.

— A une époque, ses parents la trouvaient idéale pour Rodrigo, bien qu'un mariage entre cousins germains n'eût rien de souhaitable. De toute façon, il est impossible de savoir ce qu'en pense l'intéressé. Il me déroute. Je me demande parfois si nous avons eu raison de l'envoyer finir ses études en Angleterre. Il en est revenu avec des idées un peu larges pour notre goût... Demain, ajouta-t-elle après un silence, nous allons nous trouver confrontées à cette petite peste de Carlota. Rodrigo a bien de la chance, lui, de pouvoir échapper aux accès de mauvaise humeur de sa cousine.

Laurel réprima un sourire. Rodrigo n'était pas du genre à se laisser démonter par qui que ce soit.

— Elle est encore très jeune, n'est-ce pas ? murmura-t-elle.

— Oui, ce qui ne l'empêche pas d'être ingouvernable ! Vous vous en rendrez vite compte.

— Je pense qu'elle aura besoin de toute mon amitié.

— Ne la défendez pas, dit sèchement la vieille dame. D'ailleurs, je trouve que mon petit-fils a bien tort de vouloir s'encombrer de cette péronnelle. Ses parents n'ont qu'à l'élever un peu mieux. Soit dit en passant, j'estime que Rodrigo se sacrifie beaucoup trop, autant pour la famille que pour Valderosa.

— Mais il en a hérité, dit doucement Laurel.

— Exact. Mais une propriété comme celle-ci est très lourde à gérer. L'île vit en économie fermée. Nos finances sont saines. Il n'y a guère de pays qui puisse se vanter actuellement d'un tel exploit. Ne croyez pas cependant que ce soit le résultat d'un miracle. Les jeunes commencent à désirer plus de modernisme. Ils se laisseraient volontiers prendre aux pièges de la société de consommation. Si l'expansion est souhaitable dans certains pays, je crains que chez nous elle ne soit synonyme de catastrophe.

Après quelques minutes d'un silence pensif, à peine troublé par le pépiement des oiseaux, la vieille dame s'exclama soudain :

— Mais je parle trop, ma petite amie. J'ai honte de vous accaparer ainsi. Rentrons.

Au moment où elles arrivaient à la terrasse où Maria attendait sa maîtresse, elles virent surgir Yvonne en tenue d'équitation, apparemment enchantée de sa promenade matinale. Nulle trace de Rodrigo.

Les deux jeunes filles passèrent le reste de la journée à explorer cette superbe propriété dont on ne se lassait jamais de découvrir les sites enchanteurs. En fin d'après-midi, elles se rendirent au port pour y acheter timbres et cartes postales. Il faisait presque nuit lorsqu'elles rentrèrent au château pour se changer.

Comme toujours, le dîner était exquis, et leur hôte plus charmant que jamais. Doña Luisa assistait au repas. Laurel ne pouvait s'empêcher de penser aux confidences faites le matin même par la vieille dame. Elle comprenait mieux maintenant le caractère arrogant et inflexible de Rodrigo, chargé prématurément de si lourdes responsabilités. Sans son énergie et son autorité, l'île eût peut-être connu la misère, et Valderosa eût sans doute été vendu aux enchères. Au lieu de cela, l'île du Destin respirait un bonheur tranquille. En haut du petit port, à flanc de coteau, on apercevait, au milieu de magnifiques jardins fleuris, l'école neuve et la clinique tenue par des sœurs. Cette dernière ne devait pas être pleine. Les habitants du pays semblaient bâtis à chaux et à sable.

On devinait derrière tout cela la main énergique du Seigneur de l'île. Qui donc, sinon lui, pouvait organiser, décider, coordonner? songeait Laurel tout en buvant son café à petites gorgées.

Soudain consciente d'un silence inhabituel, elle dressa la tête. Rodrigo venait de se lever.

— Je vous demande pardon de vous abandonner si tôt toutes les trois. J'ai des lettres urgentes à faire ce soir. N'hésitez pas à sonner José si vous avez besoin de quelque chose.

Lui disparu, la pièce parut soudain froide et dépeuplée.

— Vous voyez, s'écria la comtesse avec désespoir, il ne peut jamais s'arrêter ! Le devoir, toujours le devoir ! Je le supplie de se marier, d'avoir des enfants. Le temps passe, et s'il continue ainsi, il va devenir un vieux garçon. Qui lui succèdera alors, et qu'adviendra-t-il de notre île ? Mais il refuse de m'écouter. C'est désespérant.

— Oh, Madame, sourit Laurel avec gentillesse, votre petit-fils n'a rien d'un vieux garçon.

— Tant mieux si vous le pensez. Mais le temps passe plus vite qu'on ne le croit. Un beau jour, on s'éveille, et on s'aperçoit que la jeunesse a fui ! On a des cheveux blancs, on est perclus de douleurs...

Voyant les yeux de la vieille dame s'embuer, Laurel chercha quelque chose de réconfortant à dire. Mais à sa grande surprise, Yvonne la devança.

— Mais, Madame, il ne faut pas voir les choses comme cela ! s'exclama-t-elle en lui jetant les bras autour du cou. Ce qui importe, pour ne pas vieillir, c'est de rester jeune de cœur.

Surprise et charmée par cette gentillesse inattendue, Doña Luisa caressa du bout des doigts la joue ronde d'Yvonne et répondit en souriant :

— Vous avez sûrement raison, mon petit. Encore faudrait-il arriver à en convaincre également mes pauvres vieux os. Allons, tâchons de trouver des sujets de conversation un peu plus gais ! Et pour commencer, nous allons demander à José de nous apporter de la citronnade.

Le corps de la vieille dame était peut-être fatigué, mais son esprit était toujours vif et sa mémoire sans défaut. Pendant une bonne heure, elle évoqua sa jeunesse en Castille, son mariage, la vie sur l'île. Son auditoire était sous le charme.

— Mais je suis trop bavarde, comme toutes les Espagnoles, s'exclama-t-elle soudain.

Après l'avoir accompagnée à son appartement et confiée à sa femme de chambre, les deux filles retournèrent au salon.

— Je vais faire un petit tour au jardin, dit Laurel. Vous venez ?

— Non, répondit Yvonne. Je dois me laver les cheveux. Ils sont tout collants. Je n'ai pas eu le temps avant dîner. Je tiens à être présentable pour l'arrivée de Carlota.

— Soyez franche, Yvonne, ce n'est pas pour elle que vous désirez être à votre avantage...

— De toute façon, il s'en va demain, non ? coupa Yvonne avec désinvolture avant de sortir de la pièce.

Le visage pensif, Laurel se dirigea vers le jardin. Pourvu qu'Yvonne ne soit pas en train de succomber au charme de ce séduisant Espagnol. Depuis leur arrivée, Rodrigo s'était mis en quatre pour Yvonne. Il avait probablement pris à cœur son rôle de protecteur. Ses attentions avaient sans doute pour but de faire oublier à Yvonne son béguin pour Renaldo. Jusqu'ici, grâce au ciel, tout s'était bien passé. L'enfant terrible semblait s'être assagie et avoir tourné la page.

Laurel traversa la vaste cour faiblement éclairée par les lanternes en fer forgé et ouvrit doucement la grille conduisant à la pépinière. L'air était tiède et parfumé. Au milieu d'arbustes et de plantes odoriférantes, un sentier conduisait à une petite terrasse au dallage irrégulier qui surplombait l'océan. Appuyée à la murette tapissée de géranium-lierre et de plantes grasses, Laurel passa un long moment à contempler la baie miroitant sous le clair de lune.

Elle avait perdu la notion du temps. Fascinée par la beauté presque surnaturelle du paysage, alanguie par le mélange d'odeurs sucrées et poivrées qu'exhalait la végétation, elle n'arrivait plus à s'arracher à cette extase.

Soudain, dans la nuit tiède, s'élevèrent les notes vibrantes d'une guitare qui paraissait toute proche. Laurel se raidit instinctivement, et fit aussitôt demi-tour pour rentrer. Quelque chose remua dans l'ombre de la terrasse. Elle sursauta.

— Je vous ai fait peur ?

La guitare s'était tue. Laurel distingua alors le blanc lumineux d'une chemise d'homme. Une main se referma autour de son poignet. Elle se retrouva tout contre Rodrigo, sous une sorte de tonnelle occupée par un banc circulaire.

— Vous êtes pressée de rentrer ?

— N... non. Je... je ne vous avais pas entendu avant que vous ne vous mettiez à jouer. Je suis désolée de vous avoir dérangé.

Il relâcha son étreinte et posa sa guitare sur le banc.

— Mais vous ne me dérangez absolument pas, au contraire. Allons, asseyez-vous, Miss, ou vous allez me forcer à me lever.

Laurel s'assit avec raideur.

— Je... je ne m'attendais pas à vous trouver ici... à cette heure...

— Et pourquoi donc ? Pourquoi ne me serait-il pas permis à moi aussi de me détendre ? J'ai estimé que la musique était le meilleur moyen de trahir ma présence sans vous faire peur. Me suis-je trompé ?

— Continuez, Rodrigo, dit-elle sans lui répondre directement. Je vais vous écouter un petit moment, si vous permettez.

— Mais, ma chère, tout le plaisir sera pour moi.

Il s'empara de l'instrument et se remit à jouer. Laurel l'écoutait avec un plaisir croissant. Il était plus qu'un simple amateur, et savait tirer de sa guitare des accords déchirants qui parlaient de vie, d'amour, de passion.

Lorsque les dernières notes du flamenco endiablé s'évanouirent dans le silence, Laurel poussa un petit soupir ému.

— Comme vous jouez bien !

— Cela vous surprend ?

— Oui.

— Mais le don de la musique et de la danse sont innés chez nous, voyons !

— Je le sais. Mais je ne pensais pas que vous trouviez du temps à leur consacrer.

— Ah, je vois que ma grand-mère est passée par là !

Soudain Laurel releva la tête et rencontra des yeux noirs qui la scrutaient avec intensité.

— Je me demandais... commença-t-elle avec hésitation.

— Oui ?

— Tout à l'heure, vous avez parlé de lettres à faire. Ne pourais-je vous aider pendant le temps de mon séjour ? Je suis secrétaire de métier. J'ai pensé, ajouta-t-elle avec un certain embarras, que je pourrais taper des lettres ou des factures. Ce serait une façon — bien modeste, je le sais — de vous remercier de votre hospitalité.

Il fut tellement long à répondre que Laurel se prit à regretter de s'être montrée si impulsive.

— C'est donc pour cela que vous aviez cet air soucieux tout à l'heure ? demanda-t-il enfin avec un sourire bizarre.

Certaine qu'il se moquait d'elle, elle se mordit la lèvre et balbutia :

— Enfin... plus ou moins...

— J'en suis profondément touché.

— L'essentiel est que vous ne soyez pas en colère.

— Pourquoi le serais-je ?

— Il semble, hélas, que j'aie le don de vous mettre dans cet état au moment où je m'y attends le moins.

— Dois-je en conclure que vous avez peur de moi ? demanda-t-il en se frottant pensivement le menton de ses longs doigts maigres.

— Non, lança-t-elle sans prendre le temps de réfléchir, mais je désapprouve votre façon de concevoir les châtiments !

— Tiens, tiens ! dit-il avec une lenteur calculée, mais habituellement les coupables n'ont pas voix au chapitre...

— C'est donc une habitude chez vous d'infliger des baisers furieux ? demanda-t-elle imprudemment.

— Mais, ma chère, je n'ai encore jamais rien trouvé de mieux pour faire taire une femme !

— Oh, vous êtes impossible ! s'écria Laurel en se levant. Il est tard... il vaut mieux que je m'en aille.

— Avant de me faire sortir de mes gonds une fois de plus ? Prenez garde, Laurel. Nous avons enterré la hache de guerre, certes, mais ne me rendez pas les choses trop difficiles.

— Oh, mais je... je voulais simplement vous offrir mon aide...

— J'y suis très sensible, fit-il en se levant à son tour. Je crains seulement que vous ayez négligé un petit détail essentiel...

— Lequel ?

— Loin de moi l'idée de dénigrer vos compétences professionnelles quand elles s'exercent dans votre propre langue... commença-t-il d'une voix traînante.

Interdite, elle le regarda quelques secondes avant de saisir la portée de sa phrase. Mon Dieu ! Comment avait-elle pu oublier son ignorance presque complète de la langue du pays ?

— C'est vraiment stupide de ma part ! dit-elle avec un petit rire vexé. Comment ai-je pu...

— ... oublier ?

Le visage de Rodrigo était dans l'ombre. Impossible

de savoir ce qu'il pensait. Laurel allait s'éloigner lorsqu'il s'écria :

— Ne partez pas ! Et ne me dites pas qu'il est tard ! On croirait que vous vous sentez coupable dès que vous êtes plus d'une heure absente.

Comment avait-il deviné ?

— Vous ne croyez pas si bien dire, Rodrigo. J'ai perdu mes parents toute jeune. La tante qui m'a élevée était bonne, mais très stricte. Je devais toujours être rentrée avant une certaine heure. Il y a pourtant deux ans maintenant que je vis seule à Londres, mais je n'ai pas réussi à perdre l'habitude de me tracasser dès qu'il est onze heures passées.

— Nous avons au moins un point commun, je vois... celui d'être orphelins...

Laurel hocha la tête sans répondre.

— Et vous essayez maintenant de secouer vos chaînes ? demanda-t-il doucement.

— Pas vraiment. Après tout, une certaine discipline est une force dans la vie.

Elle hésita une seconde avant de continuer :

— Vous ne me croirez peut-être pas, mais j'ai dû faire un immense effort sur moi-même pour... pour me baigner s... sans...

— Je n'ai pas oublié. Et je commence à comprendre bien des choses.

Il posa brusquement les mains sur ses épaules.

— Il n'est pas tard, petite Laurel. Il n'y a pas de sévère gardien, l'œil rivé sur la pendule...

Toute tremblante, incapable de faire un geste, elle chuchota :

— Si, vous, Rodrigo.

Il rit tout bas.

— Moi ? Mais je suis une créature de chair et de sang, pas un geôlier !

Avec une douceur et une force irrésistibles, il la prit

dans ses bras. Leurs deux cœurs battaient sourdement l'un contre l'autre. Il effleura doucement son visage de ses lèvres avant de s'emparer de sa bouche avec une ferveur pleine de sensibilité.

Dieu qu'elle était bien dans ses bras ! Elle mourait d'envie de le serrer à son tour dans les siens, mais n'osait pas. Un feu étrange l'avait envahie. Lorsqu'il releva la tête, elle ouvrit les yeux avec un soupir étranglé. La belle tête brune de Rodrigo se détachait sur le ciel criblé d'étoiles.

— Un baiser n'est pas toujours un châtiment, vous voyez, petite sceptique, dit-il avant de se pencher à nouveau sur les lèvres frémissantes qui s'offraient.

Le monde extérieur avait disparu pour Laurel. Tout naturellement, elle avait passé ses bras autour du cou de Rodrigo. Leur baiser s'éternisa.

Soudain, Rodrigo parut s'arracher à ce vertige délicieux, et la repoussa avec fermeté.

— Ne perdons pas la tête, mon chou. Rentrons.

Ils revinrent en silence au château. Rodrigo la tenait par le bras pour lui éviter de trébucher. Laurel était bouleversée corps et âme. Jamais encore on ne l'avait embrassée ainsi.

Au pied de l'escalier, elle leva les yeux sur lui. On ne pouvait rien lire sur le visage impénétrable de Rodrigo. Elle détourna le regard de peur qu'il n'y lût la vérité.

— Bonsoir, Laurel, dit-il avec gravité.

— Bonsoir, chuchota-t-elle en s'enfuyant.

7

Le lendemain, Laurel se réveilla dans un curieux état d'exaltation. Avait-elle rêvé cet intermède romantique de la veille ? Non... le seul souvenir de ces instants inouïs lui donnait encore le frisson. Une fois habillée, elle regarda son reflet dans le miroir avec perplexité, certaine que tout en elle devait crier qu'elle était amoureuse. Mais rien de spécial n'apparaissait sur le visage lisse. Seuls auraient pu la trahir le petit sourire imperceptible qui dansait au coin des lèvres frémissantes et le regard un peu étonné et trop brillant.

Soudain mécontente de son aspect, elle ôta en un clin d'œil la robe de coton bleu sans manche qu'elle venait d'enfiler. Elle fouilla son armoire et en sortit une blouse paysanne brodée qu'elle n'avait encore jamais portée, ainsi qu'une large jupe rouge, froncée, agrémentée d'un volant. L'étoffe dansait autour de sa taille de guêpe et sous la blouse légère, ses petits seins pointaient avec arrogance. Dans cette tenue, elle se sentait féminine jusqu'au bout des ongles. Elle se brossa énergiquement les cheveux et les laissa tomber en nappe dorée sur ses épaules. Un soupçon de parfum, une touche de rouge à lèvres et elle était enfin prête. Sortant en coup de vent de sa chambre, elle tomba sur Yvonne et, emportée par son enthousiasme, faillit la serrer dans ses bras.

— Vous avez bien dormi ? demanda-t-elle avec entrain.

Mais Yvonne n'était pas d'humeur folâtre. Elle haussa les épaules en grognant :

— Oui... comme d'habitude. Je vous trouve bien gaie, ce matin.

Ciel ! C'était donc tellement visible ?

— Pourquoi ne le serais-je pas ? rétorqua Laurel sur un ton désinvolte.

— Mais vous ne vous voyez pas, Laurie ! Vous êtes impayable !

Laurel rougit violemment, se demandant si par hasard Yvonne avait surpris la scène de la veille.

— Mon Dieu, dites-moi donc ce qui cloche.

— Mais rien, Laurel, dit Yvonne en s'immobilisant sur le palier, pliée en deux par le fou rire. Vous êtes parfaite, comme toujours. Mais c'est la première fois que je vous vois avec les cheveux dans le dos et dans une tenue aussi affriolante. Vous n'avez plus rien d'un éteignoir. Eh, cette blouse... terrible !

— Merci.

— C'est en l'honneur de qui ?

— Ne soyez pas ridicule.

— Bien. C'est votre affaire, après tout. Vous me la prêterez, dites ?

— Si vous voulez.

— Bien sûr, elle serait encore plus « terrible » si vous ne portiez pas de soutien-gorge !

— Merci bien, dit Laurel en rougissant de plus belle. Je ne les ai pas encore jetés aux orties ! Et puis... n'oubliez pas ce que vous a dit votre père...

— Je crains d'avoir la mémoire courte, assura Yvonne en riant sans vergogne.

Laurel soupira. Cette fille avait décidément le don des remarques blessantes. Un éteignoir ! Etait-ce vraiment ce dont elle avait l'air aux yeux de sa cadette de quatre ans seulement ?

Tout en descendant l'escalier, Yvonne fredonnait négligemment le refrain de la rengaine à la mode. Arrivée aux dernières marches, elle s'interrompit brusquement pour demander :

— Où étiez-vous hier soir ? Je voulais vous emprunter votre lotion de mise en plis. Impossible de vous dénicher, ajouta-t-elle sur un ton accusateur en franchissant d'un bond les deux dernières marches. Je me demandais ce qui avait bien pu vous arriver.

— Pourquoi serait-il arrivé quelque chose à Laurel ? lança Rodrigo du seuil du salon.

— Sait-on jamais ! répliqua Yvonne en riant. Elle aurait pu être enlevée par le fantôme de l'île !

A peine si Laurel entendit la phrase. Elle s'était immobilisée sur l'avant-dernière marche, sous les yeux de Rodrigo qui la dévisageait de la tête aux pieds, mais sans aucune chaleur, semblait-il. Depuis quand était-il là ? Qu'avait-il surpris du bavardage insouciant d'Yvonne ?

— Venez, dit-il avec un geste courtois, le petit déjeuner est prêt.

N'y avait-il pas dans sa voix comme un soupçon d'impatience ou d'ennui ? Quelle douche froide pour Laurel ! Ce moment d'ivresse de la veille n'était plus qu'un rêve évanoui. Rodrigo était redevenu l'hidalgo arrogant à l'humeur imprévisible.

D'ailleurs, ce matin-là, l'atmosphère du château était plutôt déprimante. Après le petit déjeuner, le comte s'excusa auprès de ses invitées, alléguant un travail urgent. De son côté, Doña Luisa, souffrant d'une crise d'arthrose, ne parut pas de la journée et se fit servir dans son appartement. Les domestiques affairés couraient en tous sens et s'activaient en vue de l'arrivée de Carlota.

— Quelle agitation ! remarqua Yvonne d'un air sombre en descendant à la plage. J'espère que cette fille n'est pas du genre à vouloir tout régenter. Elle fera bien d'y regarder à deux fois avant de me donner des ordres.

— N'oubliez pas que nous sommes ici à cause d'elle, lui rappela Laurel d'un ton apaisant.

— ... que « vous » êtes ici, précisa Yvonne. Moi, je n'ai rien à faire là-dedans. C'est vous qui aurez la haute main sur elle pendant l'absence de Sa Seigneurie.

Cela, Laurel n'aurait eu garde de l'oublier. A mesure que l'après-midi s'avançait et que se rapprochait l'heure d'arrivée du paquebot, elle se sentait à nouveau en proie à l'inquiétude. Que se passerait-il si Carlota était la forte tête que tout le monde semblait redouter ? Comment Laurel en viendrait-elle à bout ? Rodrigo, lui, pouvait en parler à son aise, et affirmer qu'en son absence sa cousine se conduirait en parfaite hôtesse. Qu'en savait-il ? Et si, dès qu'il aurait le dos tourné, Carlota décidait de repartir par le premier bateau ? Comment Laurel pourrait-elle l'en empêcher ?

Peu après cinq heures, elle vit de sa fenêtre le maître de maison partir, sans doute pour le port. Il y avait dans son attitude un air de détermination farouche. On le sentait prêt à tout.

Un tintement de verre venait de sa chambre. C'était Yvonne qui fouillait dans ses produits de beauté, et venait de renverser un flacon de vernis à ongles.

— Pourriez-vous me prêter votre mascara, Laurie ? Le mien s'est épaissi.

— Volontiers.

Intriguée par le ton préoccupé de Laurel, Yvonne la rejoignit à la fenêtre au moment où la voiture de Rodrigo disparaissait sous le porche.

— Oh, il aurait pu nous emmener ! fit-elle avec une moue désappointée.

C'était bien l'avis de Laurel. Mais elle ne tenait pas à ce qu'Yvonne s'en doutât.

— Après tout, nous ne sommes pas de la famille.

— Oui, mais nous sommes là à cause de sa cousine, il me semble, dit Yvonne en quittant la fenêtre.

Voyant une robe blanche préparée sur le lit, elle questionna :

— Vous vous changez déjà ?

— Oui, dit Laurel. Je me sens toute collante après cette journée sur la plage. Je vais me doucher.

— Si vous voulez vous mettre sur votre trente et un, à cette heure-ci libre à vous. Moi, je sors.

— Ne vous mettez pas en retard, supplia Laurel.

— Oui, oui. On verra bien.

La porte claqua. Laurel se mordit les lèvres. Elle savait bien pourtant l'inutilité de ses conseils à l'égard de cette gamine jalouse de son indépendance. Restait à espérer que la simple politesse la ferait revenir à l'heure. Yvonne avait trop tendance à oublier les raisons de leur présence au château, se disait Laurel tout en se glissant dans la fraîche robe chemisier en linon.

L'immense vestibule était désert. Les rayons obliques du soleil faisaient reluire les boiseries blondes, le merveilleux parquet fraîchement ciré, et jetaient un halo doré sur les bouquets de fleurs multicolores disposés un peu partout. Une armée de domestiques s'était ingéniée depuis le matin à tout briquer. Il flottait encore dans l'air une légère odeur de cire.

Désœuvrée, Laurel fit quelques pas dans la cour, puis jeta un coup d'œil sur le jardin. Pas trace d'Yvonne. Elle rentra et s'installa dans la bibliothèque avec les « Essais critiques » de Carlyle dans une superbe édition reliée. Le livre lui avait été recommandé par Doña Luisa. Mais la jeune fille était complètement imperméable à la prose admirable de l'auteur. Sans cesse, entre ses yeux et le livre, venait s'interposer la même image.

S'il l'avait su, le malheureux écrivain se fût retourné dans sa tombe. Peu après, la jeune fille referma le livre. Impossible de lutter contre les souvenirs de la veille.

Eh bien ? Rodrigo l'avait embrassée au clair de lune. Et alors ? Elle n'allait tout de même pas en faire tout un plat. Pourquoi attacher à cette histoire plus d'importance qu'elle n'en méritait ? Certes, ces minutes d'extase avaient réveillé en Laurel une sensualité latente ignorée jusqu'alors. Mais après tout, il s'agissait d'amour physique, rien de plus, de la flambée sans lendemain causée par le contact de deux épidermes. Cela pouvait-il signifier qu'elle l'aimait ? Elle le connaissait depuis si peu de temps. Le premier sentiment qu'il lui avait inspiré n'avait-il pas été de l'hostilité au contraire ? Sentiment d'ailleurs visiblement partagé... Comment pourrait-elle jamais oublier cette première rencontre...

Incapable de rester en place, elle se leva et fit les cent pas dans la pièce. Il fallait se raisonner, se disait-elle avec l'énergie du désespoir, et ne pas se laisser aller à ces rêveries sentimentales. Inutile de bâtir un roman sur le sable. Elle s'était déjà crue amoureuse une fois, non ? Aujourd'hui, quand elle pensait à Phil, son cœur ne battait pas plus vite. Alors ? Elle n'avait sans doute éprouvé pour lui qu'une attirance physique, elle s'en rendait compte maintenant. Elle avait été flattée d'être désirée. Mais une petite voix intérieure l'avait toujours empêchée de céder à ce soupirant.

Peut-être d'ailleurs était-ce la seule raison de l'insistance de Phil. Laurel s'était voulue inaccessible... et Phil n'aimait pas s'avouer vaincu. La situation aujourd'hui n'était-elle pas exactement la même ? La nuit embaumée, le clair de lune... Ne s'étaient-ils pas ligués pour pousser le comte à un flirt sans conséquence avec l'Anglaise qu'il avait trouvée sur son chemin ? Avec une ingénuité surprenante, elle s'était laissé prendre à ce petit jeu. Et s'il avait continué à l'embrasser, aurait-elle pu résister à la vague de désir qui l'avait submergée ?

Laurel eut un frisson à l'idée du pouvoir de Rodrigo sur elle. Elle était arrivée sur l'île du Destin, le cœur en écharpe, et voici qu'en quelques jours, ce cœur s'était à nouveau épris. Déjà, il ne lui appartenait plus...

Arrivée à ce point de ses méditations, elle était dans un état si pitoyable qu'elle préféra retourner dans sa chambre. Mais à peine avait-elle monté quelques marches qu'elle entendit des éclats de voix et un bruit de pas précipités. Elle tourna la tête. Rodrigo était sur le seuil de la porte d'entrée. Au milieu du vestibule se tenait une jeune personne dont les yeux noirs fixés sur elle lançaient des éclairs.

Carlota — car ce ne pouvait être qu'elle — était petite et mince, avec un visage ovale au teint mat, et de superbes cheveux noirs. Mais cette tignasse était emmêlée comme les fils d'un écheveau et la jolie silhouette était vêtue de l'uniforme disgracieux de la jeunesse du monde entier : jean élimé et presque blanc à force d'être lavé, gilet matelassé tout effrangé porté sur une chemise ajustée en étamine, sous laquelle la jeune fille ne devait pas porter grand-chose.

— Voulez-vous nous laisser seuls un instant, Laurel, je vous prie, fit la voix glaciale du comte.

— Bien sûr, acquiesça Laurel, un peu embarrassée.

Mais avant qu'elle ait pu faire un pas, Carlota l'avait rejointe au bas de l'escalier.

— Pourquoi veux-tu que cette fille s'en aille, Rodrigo ? fit-elle en regardant son cousin d'un air de défi. Ce n'est pas une domestique, que je sache !

— Allons, Carlota, dit-il d'une voix sifflante, pas de comédie, s'il te plaît !

— Ah, tu as honte de moi, je vois, honte de ma tenue ! Tu m'enfermes dans cette forteresse pour me punir ! Et en plus, tu me colles cette Anglaise sur le dos pendant que tu vas te distraire ailleurs. Eh bien, c'est gai ! Laisse-moi au moins détailler mon cerbère. Je tiens à voir au plus tôt ce parangon de vertu !

Ce disant, Carlota s'était tournée rageusement vers Laurel et la regardait avec insolence. Sous l'insulte, Laurel s'était raidie. Prêt à intervenir, Rodrigo s'était approché en hâte. Mais avant qu'il ait eu le temps d'ouvrir la bouche, Laurel s'était reprise et avait jeté d'une voix brève :

— Je ne suis ni un cerbère, ni une domestique, Mademoiselle, sachez-le bien. Maintenant, je vous laisse volontiers, espérant que votre cousin aura le bon goût de rectifier le tir. Lui seul était en mesure de vous induire ainsi en erreur.

Elle jeta un regard meurtrier à Rodrigo et traversa rapidement le vestibule, raide comme la justice, avant de sortir par la porte du jardin.

Arrivée sur la terrasse, elle tremblait encore de colère contenue. Certes, elle s'était bien attendue à devoir affronter une enfant terrible décidée à s'affranchir de toute autorité et du carcan des conventions sociales. Mais cette aversion non déguisée la laissait interdite et profondément meurtrie. Cela promettait...

Elle s'approcha de la fontaine et tendit la main sous la pluie fine et rafraîchissante. Le soleil couchant nimbait les vieilles pierres d'une lumière transparente et dorée, exaltait l'éclat des fleurs. Mais ce soir Laurel était insensible à la beauté qui l'environnait. Les mots méprisants de Carlota la poursuivaient. Un parangon de vertu ! Vraiment !

On imaginait tout de suite une vieille fille sans âge, collet monté, l'air guindé et suffisant. Ah, c'était ainsi que Rodrigo l'avait décrite à sa petite cousine ! C'était donc sous cet aspect que...

— Vous êtes fâchée, Laurel ?

Elle tourna vivement la tête. Il était là, tout près d'elle, à contre-jour. Elle ne l'avait pas entendu arriver.

— On le serait à moins, non ?

Elle détourna les yeux de la haute silhouette et les posa sur le jet d'eau irisé par les derniers rayons du soleil.

— Ma cousine s'est montrée parfaitement désagréable avec vous tout à l'heure, dit-il d'une voix unie. J'en suis affreusement confus.

— Merci, dit-elle sèchement.

Il y eut un silence. Laurel n'osait le regarder en face, certaine de fondre en larmes si elle lisait dans ses yeux la moindre moquerie. Mais enfin, que lui prenait-il donc ? Qu'avait-elle à rester plantée ainsi comme un enfant boudeur ? Il fallait qu'elle se secoue.

— Oublions cela, voulez-vous, dit-elle d'une toute petite voix avant de lui tourner le dos.

Mais il s'empara de son bras avec fermeté.

— Laurel...

— Eh bien, quoi ?

— Vous n'êtes tout de même pas retournée par les réflexions étourdies de cette gamine mal élevée ?

— Carlota n'est plus une gamine, rétorqua vivement Laurel.

— Je vous l'accorde. Mais enfin, votre expérience des jeunes ne devrait pas vous trouver ainsi démunie devant une enfant gâtée.

Laurel gardait un silence buté. Il la fit alors pivoter.

— Regardez-moi, petite fille, dit-il en lui caressant doucement la joue.

Il y avait dans sa voix comme une imperceptible raillerie.

— Allons, ne me dites pas que c'est de ma faute !

— Mais si ! lança-t-elle avec véhémence. Qu'avez-vous dit à Carlota pour lui donner une telle idée de moi ?

Il fronça les sourcils.

— Mais je ne comprends pas…

— Non ?

— Mais non, ma petite passionaria, je vous assure. Je n'ai rien dit à ma cousine qui puisse lui donner une impression aussi déplaisante de vous.

— Eh bien, vous y avez quand même réussi, dit-elle avec amertume.

— Je le crains.

Une lueur franchement moqueuse avait brillé tout à coup dans les yeux noirs.

— Alors, vous n'êtes pas d'accord avec la description faite par Carlota ?

— Je la trouve du dernier ridicule ! Si vous avez voulu me donner en exemple, eh bien, c'est raté. Maintenant, dit-elle en essayant de lui échapper, lâchez-moi !

Mais dans un geste tout à fait inattendu, il la saisit par la taille et la souleva en l'air avant de l'asseoir d'autorité sur la margelle de pierre. Devant ses cris d'indignation, il se mit à rire de bon cœur.

— Je ne vous laisserai pas descendre avant que nous n'ayons dissipé ce petit malentendu. Pour commencer, soyez certaine que jamais je n'ai utilisé ces expressions en parlant de vous. Puis-je suggérer, à la décharge de Carlota, que sa maîtrise de l'anglais est probablement moins parfaite que je ne le croyais ?

Mais Laurel ne voulait rien entendre et continuait à se débattre comme un beau diable. Peine perdue. Rodrigo la tenait toujours solidement par la taille. Mon Dieu, que risquait-on de penser en les voyant ainsi ?

— Je vous en prie, lâchez-moi !

C'est ce qu'il fit à ce moment-là, et si soudainement qu'elle perdit l'équilibre et faillit tomber en arrière dans la vasque. Il la rattrapa de justesse, et elle se retrouva, haletante, cramponnée désespérément à son cou.

Il la souleva de nouveau en riant, et la posa par terre, mais en la gardant prisonnière dans ses bras.

— Je me demande... dit-il d'une voix lente. Un parangon de vertu... J'espère bien que vous n'en êtes pas un, Laurel.

— Que voulez-vous dire ?

— Je n'aimerais pas que vous soyez un petit glaçon incapable d'exciter un homme ni de ressentir la moindre émotion.

S'il avait su ce qu'elle éprouvait dans ses bras, au contact de ce corps chaud et musclé !

— Soyons sérieux, Rodrigo, dit-elle faiblement. N... nous parlions de Carlota.

— Pas possible !

— Mais oui, murmura-t-elle fiévreusement. Vous avez certainement eu tort de me dépeindre comme une sorte de dragon, d'espionne à votre solde. C'est naturel qu'elle m'en ait voulu d'avance. A sa place, j'en aurais fait autant.

Il lui caressa doucement la nuque.

— Pourquoi tremblez-vous ainsi, Laurel ? Ne me dites pas que ma terrible petite cousine vous fait peur ?

— Non, bien sûr, dit-elle en évitant son regard pénétrant, de crainte qu'il ne lût dans ses yeux la vraie raison de son émotion, c'est seulement...

— Oh, j'aurais dû y penser. Le jet d'eau. Excusez ma stupide plaisanterie de tout à l'heure... votre robe est tout humide dans le dos !

Oui, tout humide... et passablement chiffonnée... Avec des mouvements malhabiles, elle s'efforça de remettre un peu d'ordre dans sa tenue.

— Allons, Laurel, dit enfin Rodrigo dont le visage avait repris sa gravité, à votre place, je ne me mettrais pas trop martel en tête au sujet de Carlota. Grâce à Dieu, elle a encore un peu peur de ma grand-mère.

Venez. Rentrons. Je suis certain que nous allons retrouver une jeune personne assagie et... plus présentable.

Elle leva sur lui un regard interrogateur.

— Oui, je lui ai enjoint de s'habiller décemment avant d'aller saluer sa grand-mère.

A l'horizon empourpré, la boule orange du soleil allait disparaître dans une apothéose de couleurs. Dans le jardin, les ombres mauves s'allongeaient et commençaient à toucher les vieux murs de pierre du château. La soirée s'annonçait magnifique. Les fleurs exhalaient leurs senteurs capiteuses. Tout dans cette nature épanouie était un appel au plaisir des sens.

Ebranlée par la scène qu'elle venait de vivre, Laurel n'avait plus qu'une idée : rentrer, et revenir à la raison. Le bon sens lui disait que Rodrigo continuait à se divertir à ses dépens. Un pressentiment inexplicable l'accablait. Cette Carlota ne lui disait rien qui vaille.

Arrivés au bord de la terrasse, ils s'arrêtèrent.

— Vous partez demain ? demanda Laurel en levant sur son compagnon des yeux remplis d'inquiétude.

— Oui.

— Combien de temps serez-vous absent ?

— Une semaine, peut-être deux. Pas plus. Je dois être de retour avant notre pèlerinage annuel.

— Est-ce une fête particulière à l'île ?

— Oui, dit Rodrigo qui s'était appuyé à la balustrade de pierre. Nous fêtons ce jour-là la patronne de l'île, Notre-Dame de la Source. Vous n'avez pas encore visité la chaquelle qui lui est dédiée ?

— Non. C'est loin d'ici ?

— A peu près sept kilomètres. C'est une trotte. Tous les ans, le 20 mai, nous célébrons le jour où jaillit cette source miraculeuse qui jamais depuis ne s'est tarie. C'était il y a bien longtemps. L'île souffrait d'une affreuse sécheresse. Les récoltes fanait sur pied et le bétail mourait de soif. Le curé de l'île convainquit ses ouailles de faire une neuvaine à la Vierge. Leurs prières furent exaucées. Une eau pure comme du cristal jaillit de la roche.

Pour raconter cette légende, sa voix s'était incroyablement adoucie. Laurel en était curieusement émue.

— Ainsi, tous les ans, après une messe solennelle, nous rendons-nous en procession dans les collines vers la chapelle érigée à côté de l'endroit du miracle. Ensuite a lieu une grande kermesse dans les jardins de Valderosa. C'est une occasion unique, ajouta-t-il en souriant. Je suis heureux que vous puissiez être des nôtres.

— Merci, Rodrigo, dit la jeune fille avec gravité. Je m'en rejouis beaucoup.

En silence, ils pénétrèrent dans le château. Sur les lèvres de son compagnon flottait maintenant un sourire de bonne humeur. Laurel, par contre, se sentait bizarrement déprimée. Le départ de Rodrigo y était certes pour beaucoup. Mais de quoi avait-elle donc peur? Personne ne lui voulait de mal, pourtant.

Elle s'efforça de sourire pour aller saluer Doña Luisa. Près d'elle, méconnaissable dans une robe blanche très simple et de bon goût, Carlota avait un petit air posé pas très naturel. Grâce au ciel, Yvonne était également là. La conversation allait bon train. Mais Laurel, le cœur lourd, ne pensait qu'à Rodrigo. Pourquoi redoutait-elle tellement son absence?

8

Le lendemain matin, Rodrigo partit aussitôt après le petit déjeuner. Le cœur serré, Laurel assistait à son départ. Elle n'avait guère dormi la nuit précédente, et savait très bien pourquoi. Lorsque Rodrigo reviendrait, elle-même serait à la veille de quitter l'île. Il y aurait le pèlerinage, puis encore quelques jours, et ce serait leur tour, à Yvonne et à elle, de boucler leurs valises. Et en regardant la haute silhouette vêtue dc clair se glisser dans la voiture et faire un geste d'adieu, elle se sentait perdue, abandonnée. Dire que ce serait désormais son lot, lorsque l'île et son seigneur ne seraient plus pour elle que des souvenirs.

La gorge nouée, elle rentra dans le vestibule en pensant aux remords qui l'avaient tenaillée pendant son insomnie. Car elle avait toujours remis à plus tard l'aveu de la vraie raison de sa présence sur l'île. Au début, elle avait estimé normal d'être plutôt du côté de son patron et d'Yvonne. Aussi avait-elle finalement cédé aux objurgations de cette dernière. Mais, plus le temps passait, plus elle ressentait le désir irrésistible de jouer cartes sur table. Cette supercherie lui devenait insupportable, et pourtant elle redoutait terriblement la réaction probable de son hôte. Le problème lui apparaissait insoluble. Comment arriver à convaincre

Rodrigo qu'elle n'avait jamais eu l'intention délibérée de le tromper ? Comprendrait-il comment les circonstances de son arrivée au château l'avaient réduite au silence ? Elle défaillait à l'idée de sa colère... Ne valait-il pas mieux se taire ? Après tout, ce séjour touchait à sa fin. Il y avait très peu de chances qu'après cet intermède elle le revît jamais...

— Miss...

La voix un peu forte la fit sursauter. Elle tourna la tête et rencontra le regard de Carlota.

— Me permettez-vous de vous appeler Laurel ? ajouta l'Espagnole avec un sourire engageant.

— Naturellement...

Carlota hésita une seconde avant de se jeter à l'eau.

— J'aurais dû le faire hier soir... Je... je vous présente toutes mes excuses. Je me suis conduite comme la dernière des dernières. Je ne savais plus ce que je disais, tellement j'étais en colère. Voulez-vous me pardonner ?

— Bien sûr, dit aussitôt Laurel avec un chaud sourire, désarmée par la transformation inattendue de la furie de la veille.

— Merci. Et maintenant nous pourrions...

Elle fut interrompue par Yvonne qui descendait l'escalier quatre à quatre.

— Laurie, je vais à la plage avec Carlota. Nous prenons les chevaux. D'accord ?

— Mais peut-être Laurel voudrait-elle venir avec nous ?

— Elle ne sait pas monter, fit Yvonne d'un ton désinvolte. Et puis, tous les matins, elle a rendez-vous avec Doña Luisa. Tu es prête ?

— Une seconde. Je préviens grand-mère.

— J'ai l'impression que nous allons bien nous amuser, fit observer Yvonne lorsque Carlota eût disparu en direction de l'appartement de la comtesse.

Quelques minutes plus tard, les deux jeunes filles se mettaient en route. Appuyée sur sa canne au pommeau d'argent, le regard attendri, Doña Luisa assistait à leur envolée. Dans de grands éclats de rire heureux, elles se mirent en selle et s'éloignèrent au trot sous la voûte.

— Elles vont sûrement s'entendre comme larrons en foire, dit la comtesse. Entre jeunes, la barrière des langues n'existe plus. Dieu que les choses ont changé ! ajouta-t-elle avec un soupir.

Laurel lui offrit son bras pour regagner le salon.

— Mais vous devriez être avec elles, mon enfant. Vous n'allez pas perdre votre temps à écouter les radotages d'une vieille impotente comme moi.

— De toute façon, dit gentiment Laurel, je ne monte pas à cheval, et je n'ai pas du tout l'impression de perdre mon temps en votre compagnie. Je ne saurai jamais assez vous remercier de votre charmante hospitalité.

— N'exagérons rien. Je sais parfaitement que les motifs de mon petit-fils étaient loin d'être désintéressés. Il ne me l'a pas caché.

— J'ai pourtant des raisons précises d'être reconnaissante à Rodrigo, fit Laurel avec véhémence.

— Tiens, tiens... dit la comtesse avec une étincelle de curiosité dans le regard.

Ainsi donc, Rodrigo avait gardé le secret sur sa mésaventure. Infiniment soulagée, Laurel reprit lentement :

— Peu après notre arrivée, il m'a aidée à me dépêtrer d'une situation pour le moins embarrassante. Je ne l'oublierai pas.

Il y eut un silence.

— Vous n'avez sans doute pas envie de vous appesantir sur ces pénibles souvenirs, reprit la comtesse avec tact. Quoi qu'il en soit, je suis heureuse de votre présence au château. Carlota est si fatigante... tellement ingouvernable... Pourvu que les deux petites s'entendent bien !

Le souhait de Doña Luisa fut exaucé. Yvonne et Carlota devinrent inséparables. Laurel se sentit complètement exclue de leur petit clan. Dès qu'elle apparaissait, les filles se taisaient ou chuchotaient en riant sous cape.

Sans se formaliser de leur attitude, elle profita de son temps libre pour compléter le dossier destiné à Gordon Searle. Les notes s'accumulaient. Elle avait pris un certain nombre de films en couleur qu'elle ferait développer à son retour. Bref, elle estimait avoir fait le tour du problème.

Pour clarifier les choses, elle se mit en devoir de tracer une nouvelle carte de l'île. Mais elle n'était guère douée pour le dessin. Ainsi, comment rendre ces trois châteaux d'eau étagés à flanc de coteau, et destinés à recueillir les eaux de ruissellement ? Comment en deviner la capacité ? Une seule personne pouvait la renseigner. Mais comment le lui demander ?

Si seulement Gordon Searle ne lui avait pas fait promettre le secret... Si seulement elle n'avait pas rencontré Rodrigo...

Elle se faisait l'effet d'être une espionne. Jamais elle n'avait voulu cela. Rodrigo était l'être le plus extraordinaire qu'elle eût jamais rencontré. Dès qu'elle pensait à lui, elle se sentait traversée par une onde puissante, inconnue, qui montait du tréfonds d'elle-même. Quand elle imaginait la réaction de cet homme fier lorsqu'il apprendrait la vérité, elle se trouvait plongée dans un abîme d'angoisse.

Soudain, elle prit une décision irrévocable. Elle lui avouerait tout dès son retour. C'était indispensable, non seulement pour la paix de sa conscience, mais encore pour l'issue de sa mission. En effet, au cas où son patron déciderait de poursuivre l'affaire, les négociations risqueraient d'être bloquées si Rodrigo apprenait le rôle joué par Laurel à son insu.

Certes, l'île paraissait un lieu de séjour idéal. Mais Laurel ne pouvait s'empêcher de souhaiter que les choses n'aillent pas plus loin, que cet endroit idyllique échappe au tourisme international, à son cortège de filles provocantes, de boîtes de nuit, et de papiers gras.

Sur le chemin du retour, elle fut rattrapée par les deux cavalières.

— Bonne promenade ? demanda l'Espagnole.

— Mais oui, merci. Et vous ?

— L'eau était délicieuse. Quel dommage que vous ne montiez pas. Vous perdez beaucoup.

— Oh, fit Yvonne en riant sous cape, mais Laurie n'est pas aussi ignorante que tu crois. Elle a déjà monté César, tu sais...

— L'étalon de mon cousin ? s'exclama Carlota. Vous ne me le ferez pas croire !

— Oh, Rodrigo était avec elle !

Laurel jeta aussitôt un regard meurtrier à Yvonne.

— Oh pardon ! fit celle-ci en s'apercevant un peu tard de sa bévue. Je ne voulais pas vous trahir. Je... je plaisantais, Carlota. Laurel ne monterait pas César pour un empire.

— J'avoue ne pas comprendre la plaisanterie, dit Carlota d'un ton glacial.

— Quelle importance après tout, dit Yvonne avec désinvolture en éperonnant sa monture. Nous n'allons tout de même pas rester ici jusqu'à ce soir !

Au déjeuner, Carlota se montra d'une froideur distante vis-à-vis de Laurel, mais ne posa pas de questions. Elle disparut ensuite avec Yvonne. Laurel ne les revit que le soir. Elles avaient un air de conspirateurs qui ne laissait pas de l'intriguer. Que complotaient-elles donc ?

Alors qu'elle se préparait à se coucher, Yvonne entra

dans sa chambre et se mit à tripoter nerveusement les flacons de sa coiffeuse.

— Je peux essayer votre crème hydratante ?

— Servez-vous, dit Laurel en remontant sa montre avant de la poser sur la table de nuit.

L'air absorbé, Yvonne se regardait dans la glace en faisant lentement pénétrer la crème.

— Laurie...

— Oui ?

— Pourriez-vous me donner de l'argent ?

— Vous êtes déjà fauchée ?

— Euh... je me suis acheté un chapeau de paille aujourd'hui, et nous avons pris je ne sais combien de glaces à la pâtisserie.

Laurel fronça les sourcils.

— Votre père vous avait donné mille francs d'argent de poche. Ce n'est pas dans ce trou que vous avez pu les dépenser.

— Oh, l'argent file à des riens en vacances, c'est bien connu, fit Yvonne avec une grimace. Ne faites pas cette tête, Laurel. Je n'ai pas tout dépensé. Mais Carlota veut faire une balade demain. Je ne tiens pas à être sans un sou.

— Quel genre de balade ?

— Nous devons prendre le bateau.

— Mais pour où ?

— Oh, Laurie, vous n'allez pas faire d'histoires, dit Yvonne en se laissant tomber au pied du lit. On s'ennuie à mourir ici. Carlota sait où elle va.

— Je n'en doute pas. Mais enfin... Doña Luisa est-elle au courant ?

— Probablement. Nous allons... aux Iles Fortunées. Oh, ça va être divin !

— Mais on ne peut pas faire l'aller-retour dans la journée, voyons ! Rappelez-vous, nous avons mis cinq heures depuis Las Palmas.

— Je sais. C'est pour cela d'ailleurs qu'il me faut de l'argent. Nous coucherons sans doute là-bas. Je ne vais tout de même pas laisser Carlota payer ma chambre d'hôtel. Allons, Laurie, ne soyez pas si vieux jeu. Papa vous a donné des chèques de voyage, non ?

— Il ne saurait être question de cette équipée, dit Laurel avec la dernière énergie, en tout cas pas avant le retour de Rodrigo.

— Ah, je savais bien que vous étiez une empêcheuse de danser en rond ! Tout est raté à cause de vous.

— Je crois au contraire éviter ainsi à Carlota un certain nombre d'ennuis. Allez vous coucher maintenant, ajouta Laurel avec sécheresse, et oubliez ce projet.

D'un bond, Yvonne se leva et lança méchamment avant de claquer la porte :

— Ma pauvre Laurel, vous ne connaissez que l'ordre établi ! Vous retardez d'un siècle !

Profondément blessée par les allusions ironiques d'Yvonne, Laurel fut longue à s'endormir. Décidément, la coupe était pleine depuis quelques jours. Carlota d'abord. Maintenant Yvonne... Une empêcheuse de danser en rond ! Et puis quoi encore ! Elles ne pouvaient pas se rendre compte, ces écervelées, qu'elles lui avaient été confiées toutes les deux. Quelle responsabilité elle devait assumer là !

Le lendemain matin, la femme de chambre dut l'appeler à trois reprises avant d'arriver à la tirer de son lourd sommeil. Il était plus de neuf heures.

— Je regrette de vous avoir réveillée, balbutia-t-elle dans un mélange difficilement compréhensible d'anglais et d'espagnol. Je suis désolée pour...

— Mais ne vous en faites donc pas, la rassura Laurel.

— Ce n'est pas ma faute... Miss comprend ?

Non, Laurel ne comprenait pas du tout pourquoi la pauvre Sofia semblait se faire un sang d'encre.

Elle était seule à la salle à manger ce matin-là. Il était très tard et les filles devaient être parties à cheval pour une de leurs excursions habituelles.

Son café bu, elle remonta dans sa chambre pour se laver les mains et prendre un chandail au cas où Dona Luisa désirerait se promener. Un vent violent agitait la cime des arbres.

Elle ouvrit le tiroir de sa coiffeuse pour ranger des bricoles, et sursauta en y découvrant un extraordinaire fouillis. Ses foulards étaient sens dessus dessous. La pochette dans laquelle elle rangeait passe port et argent était ouverte. Plusieurs chèques de voyage avaient disparu !

Elle eut une exclamation consternée et pâlit affreusement. Elle vérifia une autre fois la liasse, fouilla tout le tiroir. Pas d'erreur : la sale gosse devait s'être glissée dans la pièce pendant son sommeil pour les voler.

Un coup d'œil dans la chambre d'Yvonne ne fit que confirmer ses soupçons. Des vêtements, des affaires personnelles et une petite valise, avaient également disparu.

Le visage défait, Laurel redescendit. Dans le vestibule, elle tomba sur Maria. La comtesse la demandait.

Doña Luisa avait dû découvrir la fuite des deux donzelles et allait certainement lui demander des comptes. Mais celle-ci l'accueillit avec sa gentillesse habituelle et ajouta :

— Vous avez l'air ennuyée, mon petit ? Qu'y a-t-il ?

La gorge serrée, Laurel dut la mettre au courant.

— Bonne mère ! gémit la comtesse en levant les yeux au ciel. Vous en êtes certaine ?

Laurel hocha la tête d'un air malheureux.

— Cette gamine est vraiment d'un pénible ! s'écria la vieille dame. Elle a probablement demandé la voiture très tôt ce matin...

— Mais... José ne lui a pas posé de questions ?

— José ? fit la comtesse avec une arrogance involontaire. Mais il ne se permettrait pas. C'est un domestique bien stylé.

— J'espère que tout se passera bien. Je me sens responsable.

— Ne vous mettez pas martel en tête, dit Doña Luisa en haussant les épaules. Que pouviez-vous contre deux filles aussi déterminées, sinon leur interdire cette équipée ? Vous l'avez fait... Vous n'avez rien à vous reprocher.

— Oui, mais j'ai peur de...

— De ce que dira Rodrigo ?

— Oui.

— C'est très simple. Nous ne lui dirons pas. Pourvu seulement qu'il ne revienne pas avant elles.

— Il m'a dit que son absence durerait au moins une semaine. Les filles devraient être rentrées demain soir au plus tard...

— Mais, ma petite amie, elles vous ont raconté des boniments ! Le bateau d'aujourd'hui ne va pas à Las Palmas, mais à Madère !

— A Madère !

— Oui... et il ne reviendra pas avant cinq jours.

Laurel pâlit.

— Mais Yvonne ne m'a jamais parlé d... de...

Elle ne put achever sa phrase. Elle était incapable de croire que sa protégée lui avait menti délibérément.

Mais à mesure que les jours passaient, sans signe de vie des fugueuses, elle dut se rendre à l'évidence... Elles avaient bel et bien pris la clef des champs...

— Vous paraissez contrariée, mon petit ? lui dit la comtesse deux jours plus tard.

— On le serait à moins, Madame.

— Vous prenez vos responsabilités beaucoup trop à cœur, Laurel.

Devant l'air surpris de la jeune fille, la vieille dame continua :

— Quand on a mon âge, on commence à voir les choses sous un autre jour. J'ai été élevée très sévèrement dans le respect des traditions. A tort ou à raison, j'ai cru bien faire d'élever mes enfants de la même manière. Aujourd'hui, les jeunes remettent tout en question. Peut-être suis-je simplement envieuse de cette liberté qui est la leur.

Libre à la vieille dame de philosopher ainsi, se disait Laurel avec agacement. Ce n'est pas elle qui payerait les pots cassés. Si Rodrigo rentrait avant sa nièce, il était fort peu probable qu'il fît preuve du même libéralisme que Doña Luisa. Quant à Gordon Searle, que dirait-il en apprenant l'équipée de sa fille ?

Grâce au ciel, les deux complices revinrent les premières. Un peu méfiantes à l'idée de la réception qui les attendait, elles se détendirent vite en découvrant une Laurel trop contente de les revoir saines et sauves pour être vraiment en colère.

— Oh, c'était fantastique ! s'écria Yvonne en se jetant au cou de Laurel. Désolée d'avoir ainsi filé à l'anglaise, mais c'était difficile de faire autrement. Vous ne nous en voulez pas trop ? Regardez ce que nous vous avons rapporté...

C'était un ravissant sac en tapisserie.

— Il y a aussi une bouteille de madère pour vous, grand-mère. Votre marque préférée, ajouta Carlota en baisant la joue de Doña Luisa.

Carlota semblait avoir oublié son animosité à l'égard de Laurel. Le dîner fut très animé. Doña Luisa écoutait avec beaucoup d'intérêt le récit de leur voyage.

— J'ai une amie à Funchal, dit-elle d'un air songeur. Tu te rappelles Mme Pereira, Carlota ? Son mari était dans le corps diplomatique. Ils se sont retirés là-bas.

C'est dommage que tu n'aies pas pensé à leur faire une visite.

— Mais si, j'y ai pensé, dit Carlota. Mais je ne me rappelais pas son adresse. Et il y a tellement de Pereira à Madère. Je sais ce que nous allons faire, grand-mère, ajouta-t-elle avec faconde, nous allons y retourner et t'emmener cette fois avec nous !

— *Madre mia !* s'exclama la comtesse. Et puis quoi encore, petite fofolle ! Je crains de...

On ne sut jamais ce que Doña Luisa craignait. José était entré silencieusement et lui glissait quelques mots à l'oreille. Tout le monde s'était tu. La vieille dame regardait Laurel avec un certain étonnement.

— Laurel, on vous demande au téléphone.

Surprise et inquiète, Laurel se leva et murmura une excuse avant de suivre José. Etait-ce Gordon Searle ? Etait-il arrivé quelque chose à sa femme ?

Le domestique la fit entrer dans le bureau du comte, lui montra du doigt le téléphone posé sur un bureau ministre en bois précieux et referma sans bruit la porte derrière lui. Elle prit le récepteur et murmura d'une voix contractée :

— Laurel Daneway à l'appareil.

Elle entendit un petit rire à l'autre bout de la ligne. Une belle voix mâle reconnaissable entre toutes s'écria :

— N'ayez pas peur, Laurel ! Le ciel ne va pas vous tomber sur la tête !

— Rodrigo ! J... je ne m'attendais pas à... avoir de vos nouvelles, bégaya-t-elle en se laissant tomber, les jambes coupées, sur le siège le plus proche.

— J'ai honte d'avoir négligé si longtemps mes invitées, dit-il d'une voix douce. Tout va bien à Valderosa, j'espère ?

— Oui, merci.

— Et grand-mère ?

— Elle va bien et vous attend avec impatience.

— Dites-lui que je serai de retour demain avec Tante Constance.

— Bon.

La ligne se mit alors à grésiller. Laurel entendit vaguement prononcer son nom. Elle craignit un instant d'avoir été coupée. Puis la friture disparut :

— Allô, allô...

— Je suis toujours au bout du fil, dit Rodrigo. Si je comprends bien, je n'ai manqué à personne ?

— Pas du tout, s'exclama-t-elle. Détrompez-vous ! Vous n'avez pas d'autres commissions à me donner ?

— Non, j'ai donné mes instructions à José.

Un petit silence suivit. Elle reprit gauchement :

— Je m'inquiétais, parce que...

— Parce que ?

— Eh bien, cette communication va vous coûter une fortune.

Il rit doucement.

— Je vous trouve bien économe de mes deniers...

— C'est normal, non ?

— Pour moi, en tout cas, c'est nouveau. Je ne vois pas le temps passer, ajouta-t-il d'une voix changée, lorsque j'entends votre douce voix mélodieuse...

Une onde de plaisir traversa Laurel qui rougit sans répondre.

— Il m'arrive d'être fatigué de la voix forte de mes compatriotes, reprit-il. Mais... du coup... je vous ai réduite au silence. Allons, il est temps pour moi de suivre vos conseils de parcimonie. Bonsoir, Laurel. A demain.

— A demain, chuchota-t-elle.

Elle se sentait follement heureuse en revenant au salon. Les deux filles la regardèrent d'un air intrigué. Doña Luisa était trop grande dame pour se permettre la moindre allusion au coup de téléphone reçu par son invitée.

Yvonne n'avait pas les mêmes scrupules. Lorsqu'elles montèrent se coucher, elle suivit Laurel dans sa chambre.

— C'était papa ?

— Non.

— Qui alors ?

— Rodrigo, laissa tomber Laurel de mauvaise grâce.

— Que voulait-il ?

— Dire qu'il revenait demain.

— C'est tout ? Allons, Laurie, avouez tout.

— Il n'y a rien à dire.

— Non ? fit Yvonne en se vautrant sur le lit de Laurel. Seriez-vous amoureuse de lui ?

— Quelle idée !

Laurel s'était détournée en espérant que sa voix ne la trahirait pas.

— Et si je vous disais, reprit-elle aussitôt, qu'il voulait que je lui raconte en détail vos faits et gestes à toutes les deux ?

— Et après ? fit Yvonne, imperturbable. Cela ne nous fait pas peur...

— Je le vois... Dites-moi, comment Carlota était-elle tellement certaine que Rodrigo ne changerait pas ses projets et ne reviendrait pas le premier ?

Les yeux d'Yvonne se mirent à pétiller.

— Elle savait qu'il devait revenir avec sa sœur. Avant de quitter l'Espagne, Carlotta avait vu sa tante. Elle avait mentionné un concert auquel elle tenait absolument à assister le 18... Le 18, c'est aujourd'hui. Ce n'était pas tombé dans l'oreille d'une sourde.

— Oui. Je comprends maintenant. Mais je ne vois toujours pas comment elle peut espérer lui cacher sa fugue. Il risque d'y avoir des indiscrétions. Et il sera furieux.

Yvonne haussa les épaules.

— Carlota n'a pas peur de lui.

— C'est vrai ?

— Vous ne saviez pas? C'est une riche héritière.

— Si, je le savais, dit Laurel, mais je ne vois pas le rapport...

— Eh bien voilà, répliqua Yvonne en baissant le ton. Rodrigo tient, paraît-il, à ce que la fortune de Carlota ne sorte pas de la famille. Il l'épousera donc d'ici un an ou deux. Sans cela, il serait déjà marié. Savez-vous l'âge qu'il a ?

— Non.

— Trente-quatre ans. Et, toujours d'après Carlota, il ne mène pas précisément une vie de moine.

Le cœur serré, Laurel ne répondit pas.

— Mais Carlota n'est pas du tout sûre d'avoir envie de l'épouser.

— Ah bon ? dit Laurel d'une voix faible.

— Comment l'en blâmer ? Rodrigo est virtuellement le roi de l'île. Il ne la quittera jamais. Vous ne voyez tout de même pas Carlota cloîtrée dans ce trou pour le restant de ses jours ?

— Non, évidemment, murmura Laurel... Vous croyez que... qu'elle l'aime ?

— L'amour n'entre pas là-dedans. Il s'agit d'un arrangement pour éviter un partage de biens... En attendant, Carlota ne déteste pas exciter la jalousie de son cousin.

Tout en écoutant le babillage insouciant d'Yvonne, Laurel s'était démaquillée machinalement. Son allégresse de tout à l'heure avait disparu.

Une fois Yvonne partie, elle se coucha, le moral au plus bas. Le sommeil la fuyait. Elle songeait à cette conversation. Une fille aussi indépendante et volontaire que Carlota se laisserait-elle imposer un mariage de raison ? Si Rodrigo était décidé à l'épouser, à conquérir son cœur et sa fortune, saurait-elle lui résister ?

9

Quand Laurel sauta du lit le lendemain, elle était bien décidée à ne penser qu'à son travail et à son prochain retour à Londres. Malgré ses bonnes résolutions, une petite voix intérieure lancinante ne cessait de lui répéter : il revient aujourd'hui, il revient aujour...

Les deux filles partirent se promener à cheval comme à l'accoutumée. Voulant se reposer en prévision de toutes les festivités qui l'attendaient, la comtesse se retira dans son appartement.

Les préparatifs de la fête battaient leur plein. Sous la houlette de José, on accrochait des lanternes vénitiennes aux arbres du parc et aux potences dressées le long des murs du château. Se sentant de trop, Laurel résolut de se rendre à la fameuse chapelle du pélerinage. Lestée d'un pique-nique préparé par Sofia, elle prit le chemin des collines.

La matinée était magnifique. La mer étincelait sous un ciel sans nuages. Une légère brise de mer rendait la chaleur supportable. Laurel montait lentement, s'arrêtant de temps à autre pour admirer la vue. Soudain, à un détour du sentier, surgit la petite chapelle nichée au creux de la colline, à l'ombre d'un bouquet de pins.

Quelques marches grossièrement taillées dans la pierre conduisaient à la fameuse grotte située dans le fond de l'oratoire. Ce n'était en réalité qu'une fissure un peu large d'où jaillissait un mince ruban d'eau transparente comme du cristal.

L'atmosphère de ce lieu retiré, sur lequel veillait une petite statue peinte de la Vierge, était merveilleusement paisible et sereine. Le silence n'était brisé que par le chuchotis de la source.

Lorsque Laurel en sortit, elle s'immobilisa un instant sur le parvis, pétrifiée d'admiration. A ses pieds s'étendait l'île semblable à un tapis de velours vert posé sur le bleu de l'océan. Çà et là, un point blanc indiquait une ferme ou une maison. Le petit port semblait assoupi au bord de l'eau. On entendait l'appel d'un berger conduisant son troupeau sur les pentes, le claquement rythmé des sabots d'un cheval tirant une charette. A gauche dominait la masse du château entouré de ses splendides jardins en terrasse dégringolant jusqu'au bord de l'eau. Avec un petit soupir, elle reprit son panier et chercha un coin ombragé pour déjeuner...

Tandis que d'effrontés petits moineaux picoraient les miettes du festin, elle contemplait rêveusement le magnifique panorama, à demi-allongée sur un matelas d'aiguilles de pins. Que c'était bon de lâcher la bride à la folle du logis ! Mais la vue de sa serviette la ramena bien vite sur terre. Si le tourisme envahissait l'île, que deviendrait la paix presque surnaturelle de ce lieu enchanteur ? Elle eut tôt fait de se représenter d'horribles boutiques de souvenirs déparant le paysage, des touristes débraillés criant à tue-tête dans la petite chapelle recueillie... Soudain, elle sursauta. A l'horizon vide tout à l'heure, venait d'apparaître un petit point.

Son cœur se mit à battre plus vite. Le paquebot filait sur les eaux bleues et s'approchait rapidement du port. Il serait bientôt à quai. Ah, si Laurel n'avait écouté que son cœur, elle se serait élancée comme une folle vers celui qui était tout pour elle...

Hélas, il n'en était pas question. Elle était une étrangère à Valderosa. Il eut été de mauvais goût de sa part de troubler ainsi une réunion de famille.

Elle prit donc son temps et revint par un chemin moins direct. Après la chaleur du dehors, le vestibule du château lui parut délicieusement frais. Tout était calme. Elle posa sa serviette, son foulard et ses lunettes de soleil sur une console et s'en fut à la cuisine rapporter le panier. A son retour, elle entendit le bruit d'une discussion véhémente venant du salon. Elle hésitait à passer devant la porte ouverte quand Carlota en surgit comme une tornade. Elle avait les traits déformés par la rage. En apercevant Laurel, elle s'arrêta net.

— Ah, c'était vous ! lança-t-elle d'un ton accusateur. C'est vous qui avez tout raconté ! Vous n'avez pas honte de vous mêler de ce qui ne vous regarde pas !

— Carlota ! Veux-tu te taire !

Maîtrisant sa colère à grand-peine, Rodrigo venait d'apparaître à son tour.

— Tu vas t'excuser, et tout de suite !

— Pas question ! dit Carlota en lui faisant face.

Rodrigo la saisit brutalement par le bras.

— Comment oses-tu jeter à la tête de notre invitée des accusations aussi gratuites ?

— Gratuites ! C'est toi qui le dis. Je sais bien qu'elle est ici pour m'espionner.

— Tu te trompes complètement. Ce n'est pas Laurel qui m'a renseigné sur ta folle équipée.

— Mais qui alors... ? fit-elle avec stupeur. Je ne vois pas qui d'autre aurait pu...

— Ma parole ne te suffit pas, il me semble, dit-il, avec colère. Tu as l'air d'oublier que le monde est petit... Hier j'ai rencontré les Pereira par hasard à Madrid... Je le regrette pour toi, mais ils t'ont aperçue avec ton amie pendant ta virée à Funchal. Ils étaient même désolés de n'avoir pu te recevoir. S'ils avaient su... Maintenant, tu vas t'excuser. J'attends.

Les lèvres serrées, Carlota jeta sur Laurel un regard malveillant avant de répliquer :

— Eh bien, tu peux toujours attendre ! Ai-je demandé à venir ici, d'abord ? Et pour trouver quoi, hein ? Cette sale espionne ! Tu ne crois tout de même pas...

— Carlota ! Rodrigo !

L'air sévère, Doña Luisa venait d'apparaître, suivie d'une petite femme rondelette aux cheveux grisonnants. Appuyée sur sa canne d'ébène, elle regardait ses petits-enfants avec réprobation.

— Vous n'avez pas honte de crier ainsi ?

— Je vous demande pardon, grand-mère, dit Rodrigo en faisant un immense effort sur lui-même.

— A l'avenir, reprit sèchement la vieille dame, ayez le bon goût de laver votre linge sale en famille. Croyez-vous que ce soit agréable pour nos invitées ? J'ai à te parler, Carlota. Va m'attendre dans mon petit salon.

A la grande surprise de Laurel, la jeune Espagnole s'éloigna sans protester. Doña Luisa reprit le bras de sa fille et repartit lentement après avoir jeté à Rodrigo un regard éloquent.

Pendant tout ce temps, Yvonne était restée un peu à l'écart. Elle avait l'air de compter les points. Voyant qu'elle réprimait une violente envie de rire, Laurel fit un pas dans sa direction.

Mais Rodrigo lui barra le chemin.

— J'ai quelque chose à vous dire, Laurel, fit-il en lui indiquant la porte de son bureau. Voulez-vous m'accorder quelques instants ?

La courtoisie de la phrase dissimulait mal une froideur distante.

— Pourquoi n'avez-vous pas suivi mes directives ? demanda-t-il tout à trac, une fois la porte fermée.

— Vos directives ? Quelles directives ?

Certes, elle sentait bien depuis tout à l'heure que la colère de Rodrigo était également dirigée contre elle. Mais elle était loin de s'attendre à cette brusque attaque.

— Allons, Laurel, ne vous faites pas plus naïve que vous n'êtes. Vous savez très bien ce que je veux dire. Comment avez-vous osé laisser Carlota transgresser mes ordres ?

— Mais je... mais je ne...

Ne voulant pas accabler les filles, même pour se justifier, elle laissa sa phrase en suspens.

— Vous ne leur avez pas donné votre permission ?

— Certainement pas.

— Alors, comment se fait-il qu'elles aient pris la poudre d'escampette ?

— Mais enfin, croyez-vous possible d'imposer vos diktats à deux filles de cet âge ? Nous ne sommes plus au Moyen Age ! Ce n'est pas parce que vous êtes le chef de famille et qu'un jour vous serez en droit de...

Elle hésita.

— De quoi ? interrogea-t-il avec vivacité.

— De régir l'existence de Carlota, en suivant une tradition bien établie chez vous qui veut que l'on fasse fi des sentiments d'autrui. Ne pourriez-vous au moins une fois faire l'effort de vous mettre à sa place ? Pourquoi n'essayez-vous pas de la raisonner, au lieu de toujours la traîter comme un enfant ?

— Raisonner une gamine obstinée comme elle ! Vous voulez rire ! Et si vous continuez sur ce ton, ajouta-t-il avec sévérité, je risque d'oublier que vous êtes mon invitée pour vous traiter, vous aussi, comme vous le méritez. Brisons là.

Folle de rage, elle se jeta contre la porte qu'il était sur le point de lui ouvrir.

— Mais je n'ai pas fini, moi ! s'exclama-t-elle avec

emportement. J'estime que mon erreur la plus grave a été d'accepter votre hospitalité. Ah, j'aurais bien dû me fier à ma première impression... J'avais bien deviné que vous étiez froid, dur et hautain, lança-t-elle d'une seule traite, que vous vous souciez fort peu des sentiments des autres, aveuglé que vous êtes par les traditions dépassées d'une caste pleine de préjugés ! Ah, je plains la pauvre Carlota !

— Vous avez vidé votre sac ?

Laurel frémit sous le regard meurtrier de son interlocuteur.

— Parfaitement, répondit-elle néanmoins d'une voix ferme, je crois qu'il n'y a rien à ajouter.

— Ceci, tout de même, siffla-t-il entre ses dents. Moi aussi, j'ai commis une erreur de jugement.

— Ah... ?

— Oui. Je vous avais fait confiance. Je ne l'aurais jamais dû.

Laurel ne put jamais se souvenir comment elle avait réussi à sortir de la pièce après cette cinglante injure, ni comment elle avait pu arriver sans craquer au terme de cette journée.

Il y avait plusieurs invités à dîner, ce soir-là : Don Amadeo, le curé, M. Alvarez, l'instituteur, accompagné de sa femme, et le dévoué chirurgien Allemand qui s'était retiré sur l'île et ne ménageait ni son temps ni sa peine. Le dîner fut délicieux et la conversation animée. Mais rien ne pouvait détourner les pensées de Laurel de la scène atroce de tout à l'heure.

Quand cette interminable soirée prit fin, ce fut avec un indicible soulagement qu'elle retrouva la solitude de sa chambre. Les yeux brûlants de larmes contenues, elle se glissa entre ses draps et tenta désespérément de se convaincre qu'elle détestait Rodrigo. Elle ferma les yeux. Mais les images ne tardèrent pas à se presser derrière ses paupières, images de ces instants divins où elle avait senti les bras de Rodrigo se refermer autour d'elle et ses lèvres chaudes s'emparer des siennes avec une douceur et une force irrésistibles...

Dès l'aube, le lendemain, l'agitation commença. Les enfants s'éparpillèrent pour cueillir les fleurs embaumées qui décoreraient l'église et tapisseraient la litière sur laquelle on transporterait la Vierge en procession triomphale vers la chapelle du miracle.

A onze heures, les cloches de l'église se mirent à carillonner gaiement pour appeler les fidèles au service solennel qui précèderait la procession.

Laurel attendait dans la cour. Elle était charmante dans sa robe blanche toute simple. De légers cernes mauves donnaient à son regard un petit air lointain qui la rendaient infiniment désirable et attendrissante. Mais uniquement absorbée par le mur invisible qui s'était élevé entre elle et Rodrigo, elle n'en avait cure.

Lorsqu'elle était descendue déjeuner, son arrivée avait interrompu une discussion orageuse. Elle avait hésité une seconde sur le seuil de la porte. Rodrigo s'était levé et s'était incliné avec froideur. Doña Luisa lui avait fait signe d'entrer.

— Venez, mon enfant. Vous devriez savoir maintenant que nous faisons beaucoup de bruit pour rien!

— Excusez-moi, avait-elle balbutié, je suis en retard.

— Pas du tout, avait dit poliment Rodrigo, c'est nous qui sommes en avance.

Laurel s'était assise avec l'impression désagréable d'être le point de mire général. Le silence s'était prolongé. Avec un sourire railleur, Carlota avait insinué :

— Laurel nous croyait sûrement prêts à en venir aux mains, alors que nous parlions du temps.

— D'abord, rectifia Rodrigo, nous ne parlions pas du temps...

— Au fait, dit sèchement Doña Luisa en regardant

son petit-fils, assez discuté. C'est décidé. Je tiens à aller à cette messe.

— Mais Maman, supplia Tante Constance, pensez à la foule, à la bousculade, à la chaleur... C'est trop pour vous. L'année dernière, vous....

— Suffit ! J'en ai assez de me faire dorloter comme une pauvre vieille qui n'a plus ses esprits !

Elle leva le menton avec détermination.

— Alors, Rodrigo, tu m'emmènes ? Ou faudra-t-il que je demande à José de sortir la vieille voiture ?

— Ce n'est pas la peine, grand-mère, dit Rodrigo en s'inclinant. Je suis à vos ordres.

En voyant Rodrigo aider gentiment sa grand-mère à s'installer dans la voiture, Laurel ne cessait de se demander la raison de son injustice à son égard. Après lui avoir imposé une charge trop lourde pour ses frêles épaules, il lui avait violemment reproché un échec dans lequel elle n'était pour rien.

Par bonheur, l'allégresse générale de cette journée haute en couleur réussit à détourner le cours de ses pensées. Les maisons avaient fait toilette. Le linge avait disparu des fenêtres dont les jardinières croûlaient sous les bégonias et le géranium-lierre. Tout le monde ou presque était dans la rue, dans ses habits du dimanche : les hommes en noir, les petites filles en blanc, les femmes en robes fleuries, avec un léger foulard sur la tête. Les aïeules étaient restées fidèles à leur costume traditionnel auxquel elles avaient ajouté une mantille de dentelle.

L'église était pleine à craquer. Il y faisait une chaleur étouffante. Les lumières des innombrables cierges illuminaient la statue de la Vierge, vêtue, elle aussi, de sa robe de cérémonie, bleue, rose et argent.

Arriva enfin le moment solennel attendu avec impatience par tous les pèlerins. Avec une lenteur pleine de majesté, on sortit de l'église, la Vierge portée sur une litière blanc et or. Quatre montants élancés supportaient un dais tapissé de soie blanche rehaussée de broderies et de perles. Dans un joyeux désordre, les enfants se précipitèrent pour poser leurs petits bouquets de fleurs des champs aux pieds de la Vierge. La procession s'ébranla, précédée de l'harmonie municipale. Dans un incroyable brouhaha, on traversa la petite ville avant de prendre le chemin des collines. A intervalles réguliers, la procession ralentissait pour permettre à de nouveaux porteurs de remplacer l'équipe précédente...

Très rapidement, Yvonne et Carlota avaient disparu dans la foule. Laurel ne perdait pas de vue la haute silhouette de Rodrigo. Il se retournait parfois, et jetait sur le cortège un regard circulaire, comme s'il eût cherché quelqu'un. Chaque fois qu'elle se sentait observée, Laurel s'efforçait de sourire d'un air désinvolte ou de parler à ses voisins.

La chapelle du miracle étant beaucoup trop petite pour accueillir tous les pèlerins, le curé présida dehors, sous un ciel radieux, une courte cérémonie d'action de grâce, émouvante dans sa simplicité.

Après quoi, on revint en ville pour remettre la statue à l'église, dans sa niche. La procession se dispersa. C'était maintenant le moment de se préparer pour les réjouissances du soir.

Un léger en-cas était préparé pour les hôtes de Valderosa. Puis, ce furent les préparatifs de dernière minute auxquels tout le monde prêta main-forte. Il fallut installer sur les buffets d'innombrables plats, les couverts et la vaisselle nécessaires au pique-nique le plus gigantesque que Laurel ait jamais vu.

Lorsque tout fut prêt, il restait à peine le temps de se doucher et de se changer. Laurel remarqua vaguement qu'on avait remonté dans sa chambre les affaires posées la veille sur une des consoles du vestibule. Bouleversée par les reproches sanglants de Rodrigo, elle les avait complètement oubliées. Après les avoir rangées, elle sortit de son armoire sa jupe longue rouge foncé et son bustier de dentelle blanche. Cette tenue lui avait toujours porté bonheur... Qui sait? Le miracle se reproduirait peut-être...

Dans un brouhaha de voix et de rires, les insulaires arrivaient en rangs serrés par l'avenue et se répandaient au milieu des parterres fleuris éclairés par les lanternes vénitiennes. Dans leurs plus beaux atours, les femmes voltigeaient comme des papillons multicolores. Un certain nombre d'hommes avaient revêtu des costumes de velours ajustés et des chemises à jabot. Une odeur alléchante d'agneaux, de cochons de lait et de poulets rôtis flottait dans l'air. Les buffets gémissaient sous le poids d'un nombre inimaginable de victuailles et de bouteilles de vin.

La nuit était tiède. Dans le ciel criblé d'étoiles, la lune montait lentement. Soudain, Laurel se retrouva seule au bout d'une table, un peu médusée par ce spectacle inhabituel. Yvonne venait de la quitter en disant qu'elle allait danser.

— Goûtez cela, Laurel.

Elle sursauta. Un sourire énigmatique sur son beau visage, Rodrigo lui tendait une assiette de petits fours.

— Qu'est-ce que c'est, demanda-t-elle, le cœur battant.

— Des messepains. C'est une spécialité de Tolède. Il me semble que les anglais ont un faible pour ce genre de sucreries.

— Oh, c'est délicieux! reconnut-elle d'une petite voix contractée.

— Vous vous amusez?

Comme si rien ne s'était passé! Quelle inconscience! Laurel afficha sur ses lèvres un sourire de commande.

— Beaucoup, merci. Les jardins sont magnifiques, ainsi éclairés.

Avant qu'il ait eu le temps de répondre, José avait surgi à ses côté, l'air soucieux. Sans même s'excuser, Rodrigo le suivit. Une petite anicroche, probablement.

S'efforçant de maîtriser son trouble et d'oublier sa rancœur, Laurel partit se mêler à la foule pleine d'entrain. Certains invités s'étaient groupés autour de petites tables disséminées sur les pelouses. D'autres s'étaient assis à la bonne franquette, au pied des arbres.

— Laurel, mon petit, venez vous asseoir près de moi. Vous allez me raconter la procession.

C'était Doña Luisa qui lui faisait signe, d'une tonnelle où elle était assise, entourée d'une petite cour. De là, elle avait vue sur la terrasse où le spectacle allait commencer d'une minute à l'autre.

— Vous paraissez fatiguée ? reprit-elle avec bonté. Personne ne s'occupe de vous ? Ramon !

Un garçon parut aussitôt.

— Apportez un verre de vin à Miss Daneway.

Epuisée par toutes ces festivités, Laurel se laissa tomber avec joie sur une chaise. Elle but lentement son verre de vin, heureuse de se détendre un peu, sous l'aile tutélaire de la vieille dame.

Soudain les lumières se mirent en veilleuse et des projecteurs blayèrent la terrasse. Quelques secondes plus tard, un orchestre invisible attaqua un air entraînant et six danseurs firent irruption sur la scène dans un tourbillon multicolore. Ils exécutèrent un pot-pourri de danses populaires espagnoles. Après eux, se produisirent des chanteurs. Enfin, un danseur beau comme un Dieu fit son entrée et, sur l'air du Boléro de Ravel, fit une exhibition étourdissante. Dans la foule, ce fut du délire.

— Il est étonnant ! s'exclama Laurel en applaudissant

avec enthousiasme. J'ignorais que l'île possédait de tels talents.

— Ces artistes ne sont pas d'ici, murmura une voix ironique au-dessus de sa tête.

Laurel frémit en sentant des mains s'appuyer au dossier de sa chaise et la frôler. Depuis quand Rodrigo était-il debout derrière elle ?

— Ils viennent de Madrid, poursuivait celui-ci. Ils sont arrivés ce matin et repartiront demain.

— Ah bon, fit Laurel d'un ton neutre, un peu vexée de n'avoir su deviner qu'il ne pouvait s'agir là de simples amateurs.

Il y eut encore quelques numéros de chant. Mais la joie de Laurel s'était évanouie. Pendant le reste de la représentation, elle se tint au bord de sa chaise, droite comme un i, pour éviter tout contact avec Rodrigo. Dès que les projecteurs s'éteignirent, elle murmura une vague excuse et réussit à s'échapper. Se sentant le besoin d'un peu de solitude, elle remonta un moment dans sa chambre et en profita pour se rafraîchir le visage et les mains.

Lorsqu'elle redescendit, la fête battait son plein. D'invisibles haut-parleurs diffusaient de la musique de danse. Appuyée à la balustrade de la terrasse, Laurel regardait pensivement tournoyer les couples. Elle aperçut Carlota dans les bras du danseur étoile de tout à l'heure. Elle eut un petit pincement au cœur en voyant leurs visages heureux, et subitement se sentit très seule.

— Tiens, tiens, Laurel, fit une voix familière dans son dos, c'est donc là que vous vous cachiez !

Elle eut une exclamation étranglée et se retourna vivement.

— P...pourquoi m... me cacherais-je ?

— Voulez-vous m'accorder cette danse ?

— Je... je...

Mais déjà Rodrigo l'avait saisie par le poignet et l'entraînait en contre-bas de la terrasse.

— Détendez-vous, que diable, murmura-t-il d'une voix douce en l'enlaçant. N'essayez pas de me faire croire que vous ne savez pas danser. Ce n'est pas difficile de suivre cette musique un peu démodée. Il n'y a qu'à se laisser aller. Vous n'aimez pas danser joue contre joue ?

— D'abord, cela ne se fait plus, dit-elle en se raidissant.

— Allons donc ! On a toujours le droit de danser comme on veut... Maintenant, j'aimerais bien voir sur votre visage une autre expression...

— Comment ?

— Si vos yeux étaient des pistolets, je serais déjà mort ! Vous me détestez donc tant ?

— Mais non !

— Je suis heureux de vous l'entendre dire. Expliquez-moi en ce cas pourquoi vous m'évitez depuis ce matin.

Bouleversée de sentir fondre ses bonnes résolutions, elle ne répondit pas. Son corps étroitement serré contre celui de Rodrigo la trahissait honteusement. Cette mélodie langoureuse n'arrangeait pas les choses. Jusqu'où allait l'entraîner cet irrésistible « Tango Bleu » ?

— Alors, on boudait ? chuchota-t-il contre sa tempe.

Le cœur de Laurel battait à coups redoublés.

— Pas du tout, Rodrigo, parvint-elle à articuler en détournant la tête. Je n'ai guère eu l'occasion de vous parler aujourd'hui, c'est tout.

— Ce n'est pas ce que je vous demande.

Sa voix lui parut moqueuse. Elle frémit. Ah, c'était ainsi ! Oubliant sa conduite inqualifiable de la veille, il continuait à s'amuser à ses dépens ! Eh bien, il allait voir !

— Puisque vous voulez le savoir, s'écria-t-elle en

s'arrachant à ses bras, oui, je vous évite depuis ce matin. Oui, je suis folle de rage à l'idée d'avoir été traînée dans la boue. Mais enfin, pour qui me prenez-vous ? Pour une esclave attachée au domaine de Votre Seigneurerie ? Et maintenant, vous estimeriez normal que je tombe dans vos bras comme si de rien n'était ? Non mais ! Je ne mange pas de ce pain-là ! Allez trouver quelqu'un d'autre pour danser !

Dans un état de fureur noire, elle se glissa entre les danseurs et s'enfuit par le premier chemin venu. Presque tout de suite, elle buta sur un couple d'amoureux tendrement enlacés. Elle s'excusa, fit quelques pas. Mais, au fait... cette jupe et ce corsage en voile rouge et noir ? C'était Yvonne... Et elle était avec...

Elle se retourna alors brusquement, pour voir la jeune fille se dégager d'un air penaud des bras de Renaldo. La colère la submergea. Dire que tous ses malheurs avaient découlé de la conduite ridicule d'Yvonne avec ce Don Juan à la petite semaine. C'était trop fort. Elle allait lui dire son fait, à cette sale gosse ! A ce moment-là, elle se sentit empoignée par les épaules. Rodrigo la fit pivoter vers lui. Mais Laurel avait eu le temps de voir le couple disparaître dans l'ombre.

— Mon Dieu, mais laissez-les donc tranquilles ! s'exclama-t-il en la secouant légèrement pour calmer ses protestations. Je commence à être las de ces jeunes écervelés.

— Moi aussi, je commence à être lasse, dit-elle avec amertume, mais pas tout à fait pour les mêmes raisons que vous.

— Ce qui signifie ?

— Que j'en ai par-dessus la tête de vos changements d'humeur. Vous passez de la froideur la plus distante à l'emportement le plus débridé. Vous m'accusez de tous les péchés d'Israël. Et puis...

— Continuez...

Elle leva le menton d'un air de défi et le regarda droit dans les yeux.

— Et puis, quand ça vous chante, vous jouez au Don Juan comme si de rien n'était !

— Don Juan !

Il parut prêt à exploser et pendant quelques secondes Laurel eut peur. Mais sa colère retomba très vite et il lui chuchota à l'oreille !

— Seigneur, c'est donc ainsi que vous me voyez !

Subitement sans force entre ses bras, Laurel ne sut plus que dire et baissa la tête. Elle n'était pas de taille, dans ce petit jeu du chat et de la souris. Mais il lui releva le visage avec douceur et reprit :

— C'est donc la raison de ces paupières meurtries, de ce regard traqué... Comment pourrai-je jamais me faire pardonner de vous avoir blessée ?

Toute tremblante, Laurel cherchait désespérément une échappatoire.

— V... vous ne m'avez pas blessée, bredouilla-t-elle d'une petite voix étranglée. Je... je voulais seulement...

— Regardez-moi, Laurie, dit-il en lui caressant doucement la nuque.

Un trouble exquis traversa le corps de Laurel. Impossible de résister à cette voix chaude et caressante. Impossible de s'arracher à la magie de ce regard.

— Je ne veux plus voir dans vos yeux cette expression malheureuse. Je veux...

Sans finir sa phrase, il s'empara de ses lèvres avec une tendresse et une ardeur irrésistibles. Ce fut un moment d'extase comme Laurel n'en avait jamais rêvé. Une vague de désir enflammé les submergea. Tout naturellement, Laurel avait noué ses bras autour du cou de Rodrigo. Celui-ci couvrait son visage et sa gorge de baisers brûlants. Ils perdirent toute notion d'heure et de lieu...

Un appel les fit sursauter. Rodrigo releva la tête. A qui appartenait cette voix qui semblait venir d'un autre monde ? se demanda Laurel dans un état second. Elle entendit vaguement Rodrigo répondre. Des pas s'éloignèrent.

— On nous attend au château, Laurel. C'est l'heure du champagne et de la surprise finale. Venez, ma chérie.

Ma chérie... Il l'avait appelée « ma chérie ». Elle en oublia le regard meurtrier de Carlota qui venait de les surprendre dans les bras l'un de l'autre.

Des magnums de « brut » reposaient au frais dans les seaux à glace en argent. Des bataillons de flûtes de cristal étaient alignés sur les petites tables disséminées sur la terrasse. Un bouchon sauta. Ce fut le signal. Une seconde plus tard, une lueur étincelante amorça sa trajectoire vers le ciel et explosa en une pluie d'étoiles.

Fascinée, Laurel contemplait les chandelles romaines, les soleils, les fusées zébrant le velours du ciel. Rodrigo était près d'elle, le bras autour de sa taille. De temps à autre, il resserrait doucement son étreinte. Cette caresse l'emplissait d'un trouble délicieux. Elle n'avait jamais rêvé pareil bonheur.

Les meilleures choses ont une fin. Dans une sorte de griserie, Laurel vit Doña Luisa prendre congé de ses hôtes qui, eux, retournèrent au jardin où le bal avait déjà repris. Il était plus de minuit passé. Mais personne ne semblait s'en soucier.

— Venez danser.

Rodrigo la contemplait avec une intensité bouleversante. Laurel se retourna pour poser son verre. C'est alors qu'elle rencontra le regard malveillant de Carlota fixé sur elle. Elle frissonna d'appréhension en voyant l'Espagnole plaquer sur ses lèvres un sourire triomphant.

— Je suppose que vous avez trouvé tout ceci fort

intéressant, Laurel. Quelle attraction supplémentaire pour vos voyages organisés du printemps ! Dites-moi, vous êtes en train de rédiger la brochure, non ?

— Je... je ne comprends pas, bégaya Laurel.

— Allons donc, vous me comprenez parfaitement. Inutile de nier. Ce n'est d'ailleurs un secret pour personne, j'imagine.

Ses grands yeux faussement innocents allaient de l'un à l'autre.

— Pourquoi dessineriez-vous ces cartes de l'île, et pourquoi noteriez-vous tous ces détails ? N'est-il pas vrai que le père d'Yvonne est le directeur d'une agence de voyages et que vous êtes sa secrétaire ?

Au bord du vertige, Laurel chancela. Elle entendit vaguement l'exclamation stupéfaite du comte.

— Bien sûr que c'est vrai, Rodrigo. Comment, tu n'étais pas au courant ! On veut nous envahir, construire des bungalows, des salons de thé, des boîtes de nuit. Les touristes viendront ici par milliers et détruiront tout sur leur passage comme des sauterelles. Et tu ne le savais pas ! Mais demande-le-lui toi-même. Elle ne peut pas dire le contraire. C'est son métier.

— C'est vrai ?

Laurel eut un mouvement de recul devant le regard incendiaire de Rodrigo. Mon Dieu, se demandait-elle fébrilement, ce n'était tout de même pas Yvonne qui l'avait trahie, alors qu'elle l'avait suppliée de ne rien divulguer de cette affaire ? Et puis soudain, en un éclair, elle comprit tout... la serviette laissée par mégarde dans le vestibule...

— Non, laissez-moi vous expliquer. Je n'ai jamais eu l'intention...

— La vérité, rugit-il. Je veux la vérité. Travaillez-vous, oui ou non, pour ce... ce... ?

— Il s'appelle Gordon Searle, coupa Carlota visiblement très contente d'elle, et sa société s'appelle « Tourisme Planétaire ».

— Allez-vous répondre ? reprit-il comme s'il n'avait pas entendu sa cousine.

— Oui, mais... je...

— Bon, je n'ai pas besoin d'en savoir plus, siffla-t-il entre ses lèvres serrées. Vous m'avez indignement trompé. Vous...

— Je vous en prie, supplia Laurel en posant sur sa manche sa main tremblante, écoutez-moi. Je...

— Je ne veux rien entendre, dit-il en se dégageant comme s'il avait été effleuré par quelque chose de répugnant.

Il était blanc de colère et se contenait à grand-peine.

— Vous m'avez déjà assez menti. Je pense que vous ne tarderez pas à retourner chez vous. Ma réponse est celle que j'ai déjà faite à une enquête du même genre. Jamais je ne laisserai le tourisme se développer ici. Bonsoir.

Sur cette flèche du Parthe, il fit demi-tour et disparut à l'intérieur du château.

Laurel se retrouva seule sur la terrasse, au milieu des éclats de son bonheur brisé. Autour d'elle, la fête continuait...

10

Cette dernière journée passée à Valderosa resterait gravée au fer rouge dans l'esprit de Laurel. Il y avait maintenant près de trois semaines qu'elle avait retrouvé le train-train quotidien, mais son cœur se serrait encore affreusement quand elle y pensait.

Pendant ces heures interminables, elle avait été partagée entre la crainte de devoir affronter Rodrigo, et le désir de le revoir, ne serait-ce qu'une fois.

Finalement, elle avait quitté l'île du Destin sans l'avoir rencontré et donc sans avoir pu s'expliquer. Il était parti dès l'aube en tournée d'inspection, emmenant Carlota avec lui. Il avait laissé un mot poli pour ses hôtes, les priant de ne pas hésiter à se servir du téléphone pour prévenir leurs familles de leur arrivée, et indiquant que José se chargerait de leurs bagages et les conduirait au port.

Il n'y avait que Doña Luisa pour leur souhaiter un bon voyage. En voyant l'expression triste et désappointée de son doux visage ridé, Laurel avait bien failli fondre en larmes.

Pendant le voyage du retour, Yvonne s'était gentiment ingéniée à remonter le moral de sa compagne. Lorsque celle-ci lui avait raconté ce qui s'était passé, loin de lui reprocher sa coupable négligence, Yvonne s'était jetée avec chaleur au cou de son amie en la suppliant de ne pas se laisser abattre. Elle avait passé le voyage à dire pis que pendre d'une certaine garce aux cheveux noirs qui fouillait dans les affaires des autres. Ah, les oreilles de Carlota avaient dû tinter !

Gordon Searle les attendait à l'aéroport. Sans laisser à Laurel le temps d'ouvrir la bouche, Yvonne s'était aussitôt lancée, avec un brio étourdissant, dans le récit de leurs mésaventures.

— C'était un coup de génie d'avoir réussi à vous faire inviter au château, observa-t-il quand il put placer un mot. Comment y êtes-vous arrivées ?

— Notre charme irrésistible, bien sûr, dit Yvonne d'un air mutin.

En voyant l'expression tendue de Laurel, elle baissa le ton.

— En réalité, il était arrivé à Laurie une aventure désagréable peu de temps après notre arrivée, et c'est le comte lui-même qui l'avait sortie de ce mauvais pas.

Et de détailler l'histoire en omettant soigneusement de signaler le rôle qu'elle y avait joué.

— C'est vrai, Laurel ? demanda Gordon Searle d'un ton soucieux.

— Mais oui, dit celle-ci, estimant inutile de remettre les choses au point de peur d'envenimer les rapports d'Yvonne avec ses parents. Ah, Monsieur, ajouta-t-elle avec désespoir, j'ai gâché toutes chances là-bas et...

— Mais vous n'y pouviez rien. Ne vous en faites pas, de grâce. On ne peut pas réussir à tout coup, vous savez.

Là-dessus, il les avait emmenées dans un excellent restaurant. Au passage, il était allé chercher sa femme, complètement rétablie maintenant. Pendant le repas, il s'était étendu sur un autre de ses projets, celui-ci aux Caraïbes. On n'avait plus reparlé de l'île du Destin. Gordon Searle n'était pas homme à perdre son temps en regrets stériles...

Les choses n'auraient jamais dû se passer ainsi, remâchait Laurel pour la enième fois en levant le nez de son travail. Pourquoi n'avait-elle pas dit la vérité à Rodrigo dès le soir de son arrivée au château ? Tout aurait encore pu être sauvé. Et pourquoi diable avait-elle eu la mauvaise idée de tomber amoureuse de cet aristocrate merveilleux et détestable à la fois ?

— Eh bien, Laurel, vous n'avez pas l'air d'avoir le moral, dit Gordon Searle d'un ton badin en s'arrêtant près de son bureau. Enfin, mon petit, qu'y a-t-il ? ajouta-t-il à la vue de ses yeux pleins de larmes.

Elle secoua la tête sans rien dire.

— Vous ne ressassez pas encore cette affaire ratée de l'île du Destin, si ?

De nouveau, elle secoua la tête, mais il ne fut pas dupe.

— Je sens bien que vous êtes déprimée depuis votre retour. Il n'y a vraiment aucune raison de vous tourmenter. Oubliez tout cela, Laurel.

Oublier ? Comment le pourrait-elle jamais ?

— C'était une affaire perdue d'avance, voyons. Promettez-moi de ne plus y penser. Yvonne vous a-t-elle parlé de la soirée que nous donnons pour son anniversaire ?

— Oui, dit Laurel en se mouchant discrètement. J'allais vous demander ce qui lui ferait plaisir.

— Eh bien, pour commencer, dit-il avec humour, tout le rayon parfumerie de chez Harrods !

Un peu rassérénée, Laurel sourit.

— Sa liste de suggestions va des collants Dior à une voiture de sport, continua son interlocuteur. Je m'arrêterai à la chaîne hi-fi dont elle rêve depuis des siècles. Il faudra qu'elle s'en contente.

Il s'interrompit quelques instants avant de reprendre :

— Je dois dire qu'elle est plus facile à vivre, plus

d'humeur égale, depuis votre voyage. Le rétablissement de ma femme y est certes pour beaucoup.

— J'en suis sincèrement heureuse, dit Laurel avec gentillesse.

— Je vous dois énormément, Laurel. Ma fille vous admire beaucoup. J'espère que vous voudrez bien rester son amie.

Il disparut dans son bureau, laissant Laurel songeuse. Les soucis familiaux de son employeur semblaient s'être enfin aplanis. Si seulement elle avait pu en dire autant des siens ! Mais sa conscience ne cessait de la harceler et son cœur saignait d'une blessure inguérissable.

Impossible d'éluder sa propre responsabilité dans cette histoire désastreuse. Comment aurait-elle réagi, elle, à la place de Rodrigo ? N'aurait-elle pas été, elle aussi, déçue et furieuse d'avoir réchauffé un serpent dans son sein ? On pouvait toujours plaider les circonstances atténuantes... il n'en restait pas moins vrai qu'elle ne s'était pas conduite comme elle l'aurait dû.

Allons, pourquoi se tracasser ? De toute façon, le mal était fait. Avalant sa fierté, elle avait écrit à Rodrigo quelques jours après son retour. Elle s'était excusée de sa supercherie et l'avait remercié de son amabilité. La lettre n'avait pas été facile à écrire. Laurel avait à moitié rempli sa corbeille à papiers avant de réussir à exprimer ce qu'elle voulait sans trahir ses sentiments personnels. Avant de poster sa missive, elle avait longuement hésité. Cela ne changerait rien à rien, se disait-elle avec une détresse infinie. Il ne lui avait pas caché ce qu'il pensait d'elle. Mais au moins, elle avait fait son devoir. Il ne lui restait plus maintenant qu'à tenter d'oublier... Ce serait le plus dur.

Peut-être, sans vouloir se l'avouer, espérait-elle vaguement une réponse... Mais les semaines passèrent. Ce fol espoir s'évanouit. L'été se traînait en longueur. La jeune fille avait perdu le goût de vivre. Elle s'était pourtant fait de nouveaux amis. Certains même lui firent des avances, mais sans réussir à la faire sortir de sa réserve.

— Je me fais du souci pour vous ! s'écria Yvonne tout à trac un jour de fin juillet où elle avait fait irruption au bureau. Vous n'avez pas l'air de profiter de ce merveilleux été... Qu'y a-t-il ?

— Rien. Je suis assez occupée, vous savez.

— N'exagérons rien. Papa n'est pas un tortionnaire, que je sache !

— Je n'ai jamais dit ça, voyons !

— Ecoutez, Laurie, je... soyez franche. C'est à cause de moi ? Je vous ennuie ? Je pensais pourtant vous avoir fait plaisir en vous invitant à passer le week-end à la campagne avec nous...

Ne voyant pas du tout où Yvonne voulait en venir, Laurel ne répondit pas.

— Je... je me suis soudain rappelé un certain nombre de méchancetés que je vous avais dites là-bas, sur l'île... Peut-être m'en voulez-vous encore ? Je ne pensais pas vraiment ce que je disais. Je traversais une mauvaise passe et...

— Mais Yvonne, comment pouvez-vous penser... mais vous ne m'ennuyez pas du tout. Et j'ai été enchantée de ce week-end dans votre famille.

— Mais alors, qu'avez-vous ? Vous êtes brouillée avec Phil ?

— Phil ?

Laurel faillit éclater de rire. Elle venait de s'apercevoir que, depuis son retour, elle n'avait pas accordé une seule pensée à celui-ci. Un petit sourire ironique étira ses lèvres. Si elle pouvait oublier un homme avec cette facilité, tout espoir n'était pas perdu pour elle.

— Non, il ne s'agit pas de Phil. D'ailleurs, comment connaissez-vous son existence ?

— Par papa. Il y a fait allusion hier soir. Il vous

téléphonait de temps à autre au bureau, n'est-ce pas, ou venait vous y chercher ? Papa s'est étonné de ne plus le voir.

— Il y a trois mois que nous avons rompu.

— Parfait, dit Yvonne avec désinvolture. N'en parlons plus, puisque c'est de l'histoire ancienne. Euh... Ecoutez, Laurie, j'étais venue vous demander si vous étiez libre ce soir. Je sais que c'est un peu court... Vous vous rappelez Noël... oui ? Je sais qu'il vous laisse froide... Son frère vient de rentrer d'Egypte, nous allons dans une boîte qui vient d'ouvrir. Dernier cri, paraît-il. Tout y est « super ». Je voudrais que vous fassiez connaissance de Rick. Il vous plaira sûrement. Mark et Sandra seront aussi de la partie.

— Oh, oh, qu'est-ce que ça cache, Yvonne ? Vous sentiriez-vous une âme d'entremetteuse ?

— Mais pas du tout. Alors, vous acceptez ? Ce sera follement sympa.

— D'accord, fit Laurie, incapable de résister. Quelle tenue ? Jean, tenue de ville ou grand tralala ?

— Oh, mettez donc cette robe en mousseline vaporeuse que vous aviez pour ma soirée. Elle est divine. Je parie que Rick va tomber amoureux de vous aussi sec.

Là-dessus, Yvonne était partie chez le coiffeur, après avoir promis de passer la prendre à huit heures. Vers cinq heures, comme d'habitude, Laurel était rentrée chez elle, assez contente finalement à l'idée de cette soirée. Pour une fois, elle oublierait les yeux caressants et les baisers passionnés de celui pour lequel elle brûlait encore. Ce genre de souvenirs était par trop démoralisant. Il fallait en faire table rase au plus vite.

Comme pour souligner sa résolution, elle ferma violemment la porte. Impossible d'avoir un rendez-vous chez le coiffeur au dernier moment. Elle devrait donc se faire sa mise en plis. Elle venait de fixer ses rouleaux et faisait couler son bain quand le téléphone sonna. Son cœur battit en reconnaissant la voix d'Yvonne. Pourvu que cette soirée ne soit pas décommandée.

— Je voulais vous dire... Je passerai un peu plus tôt que prévu. A moins vingt. Papa a besoin de la voiture après. Il nous conduira chez Sandra où nous retrouverons les autres. Vous serez prête ?

— Mais oui. Pas de problème.

— Parfait. A tout de suite.

Laurel reposa l'écouteur et jeta un coup d'œil à sa montre. Il lui restait encore largement le temps de se faire belle. Elle se plongea longuement dans un merveilleux bain de mousse, puis s'inonda d'une eau de toilette délicieusement parfumée avant de se glisser dans un saut-de-lit en soie lavande.

Après avoir soigneusement préparé ses affaires sur son lit, elle s'assit à sa coiffeuse pour se faire les mains. Dix minutes plus tard, elle passait ses ongles nacrés sous le robinet d'eau froide pour les faire durcir plus vite quand elle entendit sonner.

Elle sursauta. Ce ne pouvait être déjà Yvonne. Il était à peine plus de sept heures. Elle courut à la porte.

— Mais vous êtes en avance, Yvonne ! Je ne suis pas... Oh...

Ce n'était pas Yvonne.

Les doigts glacés de Laurel lâchèrent la poignée. Toute tremblante, elle s'appuya au chambranle, en regardant fixement son visiteur. C'était impossible. Elle avait une hallucination !

— Bonsoir, Laurel.

Le fantôme avait parlé.

— Rodrigo... murmura-t-elle d'une voix étranglée.

— Vous paraissez surprise de me voir ! Je suis venu en réponse à votre lettre, dit-il posément en la dévisageant de la tête aux pieds. Mais je crains d'avoir mal choisi le moment. Excusez-moi. Je reviendrai plus tard.

Il allait s'éloigner quand Laurel sortit enfin de l'état

de stupeur où l'avait plongé son arrivée. Elle tendit la main.

— Non, ne partez pas... Je... je ne m'attendais pas à... à...

Elle se noyait dans le regard sombre de Rodrigo qu'elle avait cru ne jamais revoir.

Il s'immobilisa un instant sur le seuil, observant la façon dont elle serrait étroitement sa robe de chambre autour d'elle.

— Vous avez confiance en moi ?

— Je ne devrais pas ? réussit-elle à dire d'une voix hachée.

Il claqua la porte derrière lui.

— Même si j'étais fiancé à l'une de mes compatriotes, il me serait interdit de la voir dans une semblable tenue, et plus encore de rester seul avec elle.

— Je ne suis pas Espagnole, et il n'y a rien entre nous, répliqua-t-elle d'une voix un peu plus assurée. De toute façon, j'allais m'habiller. Si vous pouvez attendre un instant... je ne serai pas longue et...

— Non, Laurel, attendez, dit-il en faisant un pas dans sa direction. Dites-moi, pourquoi m'avez-vous écrit ?

— Pourquoi ? dit-elle en haussant les épaules. Probablement parce que je me sentais coupable.

— C'est tout ?

— Cela ne vous suffit pas ?

— Non, dit-il d'une voix lente et déterminée.

— Ecoutez, Rodrigo. J'ai essayé de vous faire comprendre dans cette lettre que je n'avais jamais eu l'intention délibérée de vous tromper. Les circonstances ont d'abord joué contre moi. Et puis après, il était trop tard, nous étions déjà à Valderosa et...

Mon Dieu, à quoi bon revenir encore là-dessus ? Comment pourrait-elle se justifier sans se trahir ?

— Vous ne m'avez pas cru capable d'écouter la vérité ?

— L'auriez-vous fait ? s'écria-t-elle. On aurait dit que j'avais le don de vous faire exploser. Le soir du pèlerinage, rappelez-vous, quand j'ai essayé de vous expliquer, m'avez-vous seulement écoutée ? Non, vous vous êtes contenté de me regarder de haut comme si… comme si je…

Sa voix se brisa sur un sanglot.

— Après nous avoir attirées au château dans un but intéressé, vous nous en avez presque chassées comme des malpropres, voilà ce que vous avez fait ! acheva-t-elle sur un ton accusateur.

— D'accord, mais n'avais-je pas une bonne raison pour cela ? Vous aviez répondu à mes baisers, vous vous étiez serrée dans mes bras avec toutes les apparences du désir. Ces scènes de séduction ne faisaient-elles pas partie de votre plan de bataille ? Je croyais lire l'innocence dans vos yeux, pauvre imbécile que j'étais. Quand Carlota m'a éclairé sur vos agissements, je n'arrivais pas à vous croire capable d'une telle duplicité.

— Mais Rodrigo ! s'exclama Laurel, les yeux agrandis de panique, vous n'avez tout de même pas cru que je vous jouais la comédie parce que je… Oh non ! C'est par pitié pour Yvonne que je me suis tue.

Sans même s'en apercevoir, elle s'était accrochée à son bras, le visage suppliant. Elle prit une profonde inspiration et se lança dans le récit des mésaventures d'Yvonne.

— Après cette histoire de bague, conclut-elle, elle mourait de peur d'encourir une fois de plus la colère de son père. Elle m'avait suppliée de ne rien vous dire, pour ne pas risquer d'être renvoyée de l'île et de devoir avouer à son père cette nouvelle incartade. Quant à Gordon Searle, à mon avis, il n'était pas réellement intéressé sur votre île du point de vue touristique. Il n'avait vu là qu'un prétexte pour éloigner provisoirement sa fille. Il voulait me donner une occupation pour justifier ces longues vacances passées à ses crochets. Il n'a en effet aucunement paru déçu de mon échec... Mais Rodrigo, ne croyez surtout pas que j'aie essayé de vous enjôler pour arriver à mes fins. Ce n'est pas mon genre.

En silence, il la fouilla longuement du regard.

— Vous ne pouviez pas m'expliquer tout ceci un peu plus tôt ? reprit-il avec douceur.

Elle détourna les yeux sans répondre.

— Vous me trouviez donc si peu accessible ?

— Ce n'était pas facile à dire, murmura-t-elle sans le regarder.

— Même quand vous étiez dans mes bras ?

Elle hocha imperceptiblement la tête. Un silence tomba, insoutenable. Dans la pièce tranquille, on n'entendait que le tic-tac du réveil sur la commode.

— Laurel, ma chérie, s'exclama soudain Rodrigo, un dicton de chez nous dit que le silence et la solitude sont mortels pour un Espagnol. C'est vrai en ce qui me concerne. Je ne peux plus imaginer l'avenir sans le son de votre douce voix et sans la présence de votre petite personne provocante et intraitable...

— C... comment ?

Avait-elle bien entendu ? Elle le regarda dans les yeux. Elle n'y lut aucune ironie, mais une expression qui lui fit battre le cœur.

— Allons, ne me regardez pas comme si nous étions fous tous les deux ! Vous ne voulez toujours pas m'avouer pourquoi vous m'avez écrit cette lettre ! Vous teniez peut-être un tout petit peu à moi ?

— Vous le savez bien, murmura-t-elle d'une voix entrecoupée.

— J'aurais aimé vous l'entendre dire !

N'osant encore croire au miracle, elle répondit évasivement :

— Il y a des semaines que j'ai écrit cette lettre. Vous n'avez même pas répondu.

— Elle a été retardée par une grève. Et quand elle est arrivée à destination, c'est moi qui n'étais plus là. J'étais parti pour me changer les idées... L'existence me paraissait tellement incolore et sans saveur depuis votre départ. Quand j'ai enfin pu la lire, j'ai décidé d'y répondre en personne... Et me voilà... Ne vous sentez-vous pas l'envie de vous faire pardonner ?

— Moi ? Me faire pardonner ? Alors que vous m'avez injuriée, traînée dans la boue... sauf quand...

— Sauf quand je ne pouvais résister plus longtemps au désir que tu m'inspirais... C'est ce que tu voulais dire, non ? Ah, mon trésor, quand arriveras-tu à comprendre le caractère Espagnol ? Nous ne savons pas cacher nos sentiments, notre colère comme notre joie. Mais nous sommes sans rancune. Nos explosions sont sans lendemain. Et puis... il est si bon de se retrouver, de faire la paix...

Il lui prit les mains et l'attira tout près de lui.

— Alors, allons-nous sceller cette réconciliation, une fois pour toutes ?

Il la serra dans ses bras et l'embrassa légèrement, tendrement, puis avec une ardeur pleine de passion. Ses baisers grisaient Laurel comme un vin généreux.

— Et Carlota, fit-elle au bout d'un long moment en levant la tête. Tu ne vas pas l'épouser ?

— Dieu m'en préserve ! Qui a bien pu te mettre une pareille idée dans la tête ? Ah oui, je sais... Grand-mère ! Oublie ces marottes familiales ! Et toi ? ajouta-t-il sur un ton cassant. Tu allais sortir, n'est-ce pas ? Avec qui ? Un homme bien sûr ! Décommande-toi, et vite ! Plus question de rendez-vous désormais. Tu es à moi ! Et je ferai en sorte que tu ne l'oublies pas, est-ce clair ?

— Plus ou moins, dit Laurel en lui passant les bras autour du cou et en appuyant sa joue avec extase contre le menton un peu râpeux de Rodrigo. Il y a juste une chose...

— Je sais, dit-il en lui mordillant doucement le lobe de l'oreille. Je n'ai pas encore fait ma demande en bonne et due forme. Alors, Laurel... veux-tu m'épouser ?

— Oh oui, murmura-t-elle.

— Dis-moi que tu m'aimes.

— Je t'aime, Rodrigo. Ah, mon chéri, tout ceci me paraît trop beau pour être vrai !

— Ce n'est pas un rêve, Laurel, et je vais te le prouver.

Il l'écrasa contre lui, donnant libre cours à sa passion. Dissipé comme la brume de l'aube le chagrin de ces dernières semaines, oubliée même sa tenue sommaire qui était un bien fragile rempart entre leurs deux corps brûlants de désir.

Soudain, il relâcha légèrement son étreinte.

— Soyons raisonnables, ma chérie. Ne mettons pas la charrue avant les bœufs. Va t'habiller, ou tu vas me faire perdre complètement la tête.

Mais il ne pouvait se décider à la lâcher.

— Tu te rappelles notre première rencontre ? demanda-t-il d'une voix enrouée.

Laurel inclina la tête. Ses joues étaient devenues toutes roses.

— A ce moment-là, j'étais trop exaspéré par ta dangereuse obstination pour me laisser émouvoir par ton joli corps nu. Mais maintenant, quand j'y pense...

Avec une lenteur pleine de sensualité, il écarta les revers de son déshabillé et pencha la tête. Ses lèvres se posèrent sur le doux renflement de son sein, jouèrent un instant avec le mamelon brun. Puis il referma le léger vêtement et repoussa doucement Laurel.

— La tentation et la tradition font mauvais ménage, soupira-t-il avec regret. Allons, fais ce que je t'ai dit.

— Ou je serai punie ? chuchota-t-elle d'un ton malicieux.

— Parfaitement.

— J'espère tout de même que tu ne vas pas me cloîtrer pendant le temps de nos fiançailles, et m'interdire de jouer de la prunelle et de l'éventail !

— Je le ferai si mon petit parangon de vertu refuse de m'épouser sur-le-champ !

Elle se mit à rire doucement.

— Tu peux rire ! Mais si quelqu'un nous voyait en ce moment, ce n'est pas le qualificatif qui lui viendrait à l'esprit.

Il la contemplait avec une telle expression que son cœur se fondit de tendresse.

— Encore un petit baiser, mon amour...

Elle le regarda un instant, sans illusion sur cette douceur qui cachait, elle le savait bien, un orgueil et une autorité peu communes. Jamais elle ne pourrait dompter cette force de la nature. Quelle importance après tout ? N'était-ce pas suffisant qu'il l'aimât ?

Avec une fougue pleine de désir, elle se précipita dans les bras de Rodrigo et lui offrit ses lèvres sans réticence...

La sonnette de l'entrée retentit... Tout à son bonheur présent, Laurel ne l'entendit même pas !

Yvonne pouvait toujours attendre !

Étude des POISSONS

par Madame HARLEQUIN

(19 février - 20 mars)

Signe d'Eau
Maître planétaire : Jupiter
Pierres : Turquoise, Chrysolite
Couleurs : Bleu azur, Marine
Métal : Etain

Traits dominants :

Fidélité, loyauté
Rêveur, imaginatif, très émotif
Agit plus par intuition que par raisonnement

POISSONS

(19 février - 20 mars)

Quel est le plus important pour Laurel ? Sa fidélité à Gordon Seale ou sa loyauté envers son hôte ? Notre native des Poissons se débat dans des eaux bien troubles, et Yvonne ne fait rien pour l'aider à s'en sortir. Elle est pourtant, à plusieurs reprises, sur le point d'avouer la véritable raison de sa présence sur l'île...

Mais le cœur de Rodrigo s'est laissé prendre et ne pourra bien longtemps résister au charme de notre jeune héroïne.